D0541526

MAGIC LOOM
Bedeltjes!

MAGIC LOOM
Bedeltjes!

25 coole designs in alle kleuren van de regenboog

**Becky Thomas &
Monica Sweeney**

Met designs van Neary Alguard

moon

Eerste druk juli 2014
Tweede druk juli 2014

© 2014 Hollan Publishing, Inc.

Alle rechten voorbehouden. Niets uit deze uitgave mag worden
verveelvoudigd, opgeslagen in een geautomatiseerd gegevensbestand, of
openbaar gemaakt, in enige vorm of op enige wijze, hetzij elektronisch,
mechanisch, door fotokopieën, opnamen of enige andere manier, zonder
voorafgaande schriftelijke toestemming van de uitgever.

Oorspronkelijke uitgave Sky Pony Press, New York, 2014
Oorspronkelijke titel *Loom Magic Charms!*
Nederlandse vertaling © 2014 Michiel Gussen voor
Het RedactiePakhuis en Moon, Amsterdam
Bewerking Paul Krijnen en Rikky Schrever
Opmaak de Redactie en Baqup

ISBN 978 90 488 2401 4
NUR 214

Rainbow Looms® is een gedeponeerd handelsmerk en heeft dit boek niet
gesponsord noch geautoriseerd.

www.uitgeverijmoon.nl

Moon is een imprint van Dutch Media Books bv

INHOUD

DANKBETUIGING

We betuigen graag onze dank aan onze uitgever Kelsie Besaw en aan Sara Kitchen, die ons opnieuw hebben geholpen om dit boek in recordsnelheid uit te geven! We willen ook iedereen bij de uitgeverij bedanken voor hun fantastische bijdrage aan deze serie. Dank je wel Bill Wolfsthal, Tony Lyons en Linda Biagi voor de samenstelling van deze uitgave. Onze dank gaat ook uit naar Holly Schmidt voor haar onophoudelijke steun en Allan Penn voor zijn voortreffelijke foto's.

Ten slotte willen we graag al onze fotomodellen bedanken: Alden, Nathaniel, Owen, Christa, Leah en Lucy, die dit boek met hun vrolijke gezichten hebben verrijkt.

WOORDENLIJST

Waarschijnlijk ben je al bekend met loomen, maar voor de zekerheid zetten we hier enkele termen op een rijtje.
Dan kun jij snel aan de slag!

Haaknaald: Dit is een haakvormige pen, die je in de verpakking van je loom vindt. Je gebruikt hem om de elastiekjes van de pinnen af te halen.

C-clip: Een doorzichtig clipje of sluitinkje in de vorm van een 'c' waarmee je (de laatste) elastiekjes aan elkaar zet. In sommige loom-sets zitten s-clips.

Capband: Een elastiekje dat je drie keer om dezelfde pin wikkelt, of over een paar pinnen spant, zodat andere elastiekjes niet losschieten. Wordt ook wel stop-elastiekje genoemd.

Rijgen: Om kralen in je creatie te rijgen haal je een dun draad-je door een enkel elastiekje. Rijg de kralen aan de dubbele draad en schuif ze vervolgens op het elastiekje.

Loom: Het bord waarop je je creaties maakt. De reeksen pinnen in de lengterichting noemen we kolommen, de reeksen in de breedte noemen we rijen. Bij veel looms kun je de middelste kolom losklik-ken en hem één pin dichter naar je toe schuiven.

Overhalen: Je steekt de haaknaald in het midden van een pin en pakt het elastiekje. Dat trek je omhoog van de pin af en leg je over de pin waar het andere eind omheen zit.

Streng maken of **'breien'**: Om een streng te maken voor armen of voeten, moet je een enkel elastiekje drie of vier keer om je haak-

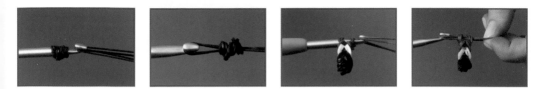

naald wikkelen zodat het op een knoop lijkt. Haak twee elastiekjes boven elkaar aan het uiteinde van de haaknaald en schuif de knoop op deze twee elastiekjes. Schuif alles vervolgens terug op de steel van de haaknaald. Zet dit proces voort door dubbele elastiekjes aan de streng toe te voegen totdat de streng net zo lang is als je wilt.

Dubbelvouwen: Dit betekent dat je een elastiekje tot een 'acht-je' vormt en dan op elkaar vouwt voordat je het aan de loom of de haaknaald vastmaakt. Hierdoor span je het elastiekje extra strak. Als je voor een design dubbelgevouwen elastiekjes nodig hebt, staat in de instructies meestal dat je een elastiekje twee keer om je haak-naald moet wikkelen voor je het aan de loom vastmaakt; dit is een gemakkelijke manier om een strakgetrokken dubbelgevouwen elastiekje aan meerdere pinnen vast te maken. Maar verwar een dubbelgevouwen elastiekje niet met een dubbel elastiekje, want dat bestaat uit twee enkele elastiekjes die samen als één elastiekje op de loom worden gespannen.

Dubbel elastiekje: Twee elastiekjes die je als één elastiekje op je loom spant.

Je loomcreatie overhalen:

1. Begin bij de pin die in de instructies wordt aangegeven; meestal de laatste of een-na-laatste van je loomcreatie of de pin waarom je een capband hebt gewikkeld.

2. Steek je haaknaald in de holte in het midden van de pin en haak hem achter het bovenste elastiekje dat je niet hebt overgehaald.

3. Trek het elastiekje eerst los van de pin en daarna door alle capbands en erboven.

4. Haal het elastiekje op je haak over naar de pin waar het andere einde van datzelfde elastiekje aan vastzit. Als er meer dan één elastiekje om de pin zit, moet je alle elastiekjes naar een pin overhalen voordat je verdergaat met

   het overhalen van de elastiekjes op de volgende pin.

5. Elastiekjes worden meestal overgehaald in de tegengestelde richting als waarin je ze op de loom hebt gespannen, maar zorg ervoor dat je alle specifieke instructies volgt voor de creatie waar je mee bezig bent.

6. Als je klaar bent met het overhalen van je loomcreatie, dan blijven er waarschijnlijk een paar losse lussen achter op de laatste pin op de loom. Je moet deze lussen vastzetten door er een elastiekje om te knopen of door een c-clip te gebruiken. Anders zal je creatie uit elkaar vallen!

T-ReX

Maak voor je heftigste loomcreatie kennis met T-Rex! Deze Tyrannosaurus lijkt op de echte, maar gelukkig leven we niet in de oertijd en heeft hij geen scherpe klauwen en tanden. Voor het maken van zijn afzonderlijke lichaamsdelen moet je veel stappen volgen. Voer ze allemaal uit in de juiste volgorde.

Moeilijkheidsgraad: **moeilijk**

Je hebt nodig:

1 loom • 2 haaknaalden • donkergroene elastiekjes • rode elastiekjes • witte elastiekjes • zwarte elastiekjes

Neem een loom met de middelste kolom één pin van je af en de pijl naar je toe.

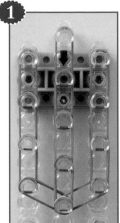

1. Maak eerst de muil van T-Rex. Span voor de bovenkaak met groene dubbele elastiekjes de vorm op het plaatje op je loom. Wikkel om de onderste middenpin een capband (stop-elastiekje).

2. Span twee capbands van dubbelgevouwen elastiekjes in een driehoek. Wikkel voor de neusgaten twee elastiekjes een paar keer om je haaknaald. Schuif beide elastiekjes over een ander groen elastiekje en maak deze links en rechts vast aan de vierde pin van onderen.

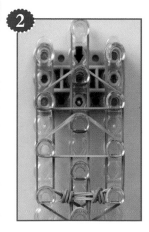

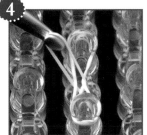

3. Span voor de tanden één elastiekje in de vorm van een 8 op de loom.

4. Trek met de haaknaald het onderste elastiekje over de pin in het midden van het elastiekje. Doe hetzelfde aan de andere kant.

5. De tanden moeten eruitzien als knoopjes. Herhaal elf keer, tot je twaalf tanden hebt.

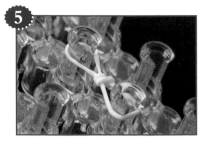

6. Wikkel de tanden om de tweede, derde en vierde pin in de buitenste kolommen. Haal de kaak vanaf de capband

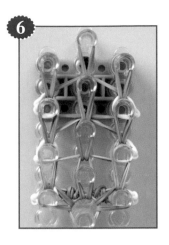

onderaan over tot boven aan de loom. Maak voor je de kaak van de loom trekt, de bovenste drie elastiekjes voorlopig vast met een haaknaald of c-clips. Leg even weg.

7. Bespan de loom voor de onderkaak met groene dubbele elastiekjes, zoals op het plaatje. Let erop dat je de diagonale elastiekjes achter het elastiekje tussen pin 1 en 2 in de buitenste kolommen, maar voor de buitenste elastiekjes om pin 2 en 3 vastmaakt. Span ook de elastiekjes in de middenkolom en eindig met een capband.

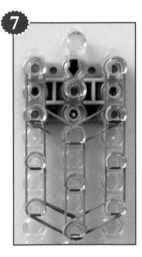

8. Bevestig drie elastiekjes over je creatie. Deze moeten dubbelgevouwen zijn om ze extra strak te maken. Trek de overige tanden over de tweede, derde en vierde pin in de linker- en rechterkolom.

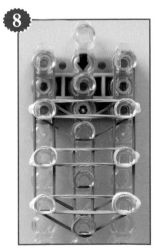

9. Haal de elastiekjes vanaf de capband voorzichtig over naar de pinnen waar de andere einden omheen zitten. Maak de bovenkant van je loomcreatie en de bovenkaak met een haaknaald of c-clips vast. Trek van de loom en leg even weg.

10. Span voor de poten op zeven rijen dubbele 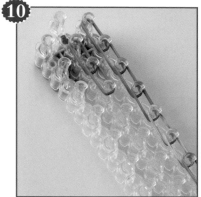 groene elastiekjes. Zorg ervoor dat de elastiekjes op de vijfde en zevende rij dubbelgevouwen zijn om ze extra strak te maken. Wikkel een capband om de onderste pin. Span vlak voor de bovenkant van de middenkolom twee elastiekjes op de loom – hierdoor lijkt het dijbeen van T-Rex groter.

11. Maak voor je de poten overhaalt de klauwen van T-Rex van korte strengen: wikkel een wit elastiekje een paar keer om je haaknaald.

12. Schuif het witte elastiekje over een dubbelgevouwen groen elastiekje. Doe hetzelfde met nog twee groene elastiekjes om de klauwen te maken.

13. Maak voor elke voet en arm drie klauwen, in totaal twaalf.

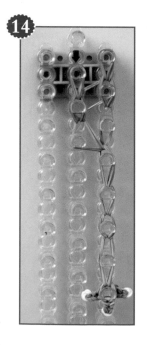

14. Maak drie klauwen onderaan de poot vast. Span een dubbelgevouwen capband tussen de derde pin in de middenkolom en de tweede pin in de rechterkolom. Haal de elastiekjes over naar de pinnen waar de andere einden omheen zitten. Trek na het bereiken van de vierde pin van boven het elastiekje diagonaal over de elastiekjes in de middenkolom. Haal nu de middenkolom helemaal over en maak daarna de rechterkolom af. Maak de bovenste lusjes in beide kolommen vast met een haaknaald of c-clip en leg even weg. Maak zo twee poten.

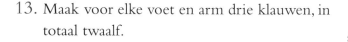

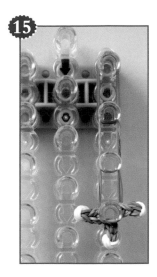

15. Maak voor de korte armpjes van T-Rex een
    streng van drie elastiekjes. Het eerste moet een
    dubbel elastiekje zijn en de tweede en derde
    enkele elastiekjes, die zijn dubbelgevouwen. Trek
    de drie klauwen over de onderste pin en wikkel
    er een capband om.

16. Haal de elastiekjes van de arm vanaf de capband
    over naar de pinnen waar de andere einden om-
    heen zitten. Zet de arm vast met een haaknaald
    of c-clip en leg even weg. Maak zo twee armen.

17. Span voor de staart met groene elastiekjes de vorm op het plaatje in
    de buitenste kolommen en met dubbele elastiekjes de streng in de
    middenkolom. Maak de elastiekjes in de middenkolom het eerst en
    daarna die in de buitenste kolommen. Let op: de diagonale elastiekjes
    overspannen een extra pinlengte. Wikkel om het eind van de staart een
    capband.

18. Span vijf dubbelgevouwen
    capbands in een driehoek
    op de loom en één dubbel-
    gevouwen capband onder
    aan de staart.

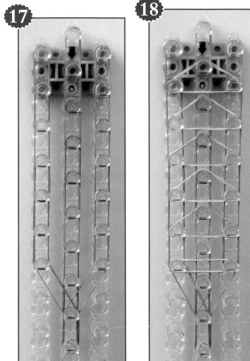

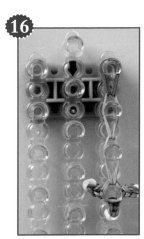

19. Haal de elastiekjes vanaf de capband over naar de pinnen waar de andere einden omheen zitten. Wikkel capbands om de bovenste pinnen van je creatie en leg weg.

20. Span voor de kop van T-Rex een kleine zeshoek van elastiekjes op de loom, zoals op het plaatje. Bespan na het maken van de zeshoek ook de middenkolom.

21. Maak de nek dikker door een dubbel elastiekje tussen de tweede en derde pin in de middenkolom te spannen. Ga verder met de figuur zoals op het plaatje – span het dubbele elastiekje in de middenkolom na de eerste serie diagonale elastiekjes, maar voor de tweede serie diagonale elastiekjes.

22. Span nu voor de borst een grote zeshoek. Gebruik in de buitenste kolommen enkele en in de middenkolom dubbele elastiekjes.

23. Wikkel voor de ogen een zwart elastiekje een paar keer om je haaknaald. Schuif het over een dubbelgevouwen rood elastiekje. Maak zo twee ogen en schuif ze over een groen elastiekje. Maak de ogen tussen de tweede buitenste en tweede middenpin vast en span er in een driehoek een capband over. Span nog drie capbands in driehoeken over de borst.

24. Maak de staart, poten en armpjes voorzichtig aan het lichaam vast. Let op: de armpjes moeten aan de diagonale schouderelastiekjes vastzitten,

maak ze daarom pas vast als je bij het overhalen bij de schouderelastiekjes bent aangekomen. Haal alle elastiekjes over tot aan het gezicht, maar stop vlak voor de bovenkant om de mond te maken.

25. Maak de onderkaak aan de tweede pinnen in de buitenste kolommen vast.

26. Maak de bovenkaak aan dezelfde rij vast, maar trek de drie elastiekjes nu over elke pin op de rij. Je gebruikt hier veel elastiekjes, dus kan het makkelijk zijn om het gezicht pas over te halen als je de delen van de bovenkaak hebt vastgemaakt. Ga verder met overhalen van de rest van je loomcreatie als de kaken vastzitten en knoop de lusjes boven op de kop vast voor je T-Rex van de loom trekt.

27. Als T-Rex van de loom is, moet je misschien nog wat aan de elastiekjes plukken om zijn ogen naar buiten te krijgen of hem te laten zitten zoals je wilt.

HOGE HOED

Pimp je bedeltjescollectie met deze fantastische hoge hoed! Hang hem bijvoorbeeld aan je sleutelbos of zet hem op de kop van je favoriete loomdieren. De hoed is gemakkelijk en snel te maken en is supergaaf!

Moeilijkheidsgraad: makkelijk

Je hebt nodig:

1 loom • 1 haaknaald • 1 of 2 c-clips (je mag kiezen) • zwarte elastiekjes • 7 gekleurde elastiekjes

Neem een loom. Gebruik alleen dubbele elastiekjes.

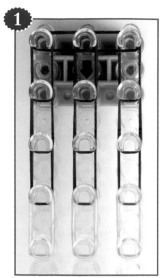

1. Span de vorm op het plaatje met zwarte en
   goudkleurige elastiekjes.

2. Bespan de tweede en derde rij met zwarte
   capbands (stop-elastiekjes) en de derde rij
   met een goudkleurige capband. Wikkel zwarte capbands om de drie onderste pinnen.

3. Haal de elastiekjes over de pinnen waar de
   andere einden omheen zitten, begin in de
   buitenste kolommen. Haal de elastiekjes op
   de eerste rij naar de middenkolom over en

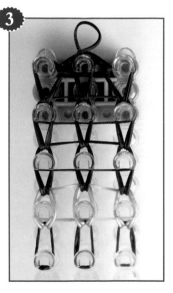

   daarna de elastiekjes in
   de middenkolom. Maak
   je bedeltje aan de bovenkant met een c-clip of
   een elastiekje vast. Trek
   de hoed van de loom en
   leg weg.

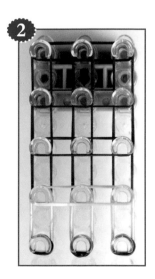

4. Maak de rand van de
   hoed. Span met dub-
   bele zwarte elastiek-
   jes de vorm op het
   plaatje. Wikkel een
   capband om de hoekpinnen, waar je de laatste
   elastiekjes hebt vastgemaakt.

5. Pak de hoed bij de bovenkant vast en zet hem ondersteboven in
   het gat in de loom. Leg de zwarte elastieklusjes in de hoed om de

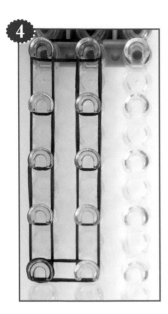

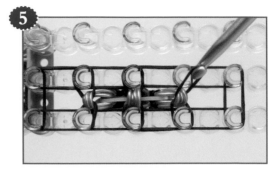

bijbehorende middenpinnen (span elk lusje tussen twee pinnen).

6. Begin bij de capband aan de rand en trek die over de pin in de tegenover liggende kolom, haal de elastiekjes over naar pinnen waar de andere einden omheen zitten. Haal de elastiekjes in beide kolommen van onder naar boven over.

7. Maak je loomcreatie met een elastiekje of c-clip vast en trek het voorzichtig van de loom.

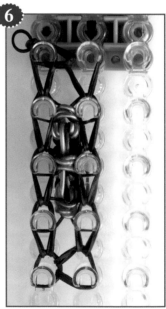

ZONNEBLOEM

Deze zonnebloem fleurt je dag op! Dit bedeltje is niet moeilijk om te maken, maar omdat je dubbelgevouwen (strakke) elastiekjes gebruikt, moet je je goed concentreren zodat ze niet knappen. Als je een grotere bloem wilt maken, kun je alle enkele elastiekjes door dubbele vervangen.

Moeilijkheidsgraad: **gemiddeld**

Je hebt nodig:

1 loom • 2 haaknaalden • groene elastiekjes • zwarte elastiekjes • gele elastiekjes

Neem een loom met de middelste kolom één
pin van je af en de pijl naar je toe. Gebruik alleen
elastiekjes die zijn dubbelgevouwen.

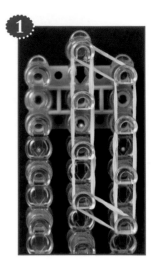

1. Span voor de zonnebloemblaadjes een trapezium van gele dubbelgevouwen elastiekjes,
   zoals op het plaatje.

2. Span twee capbands (stop-elastiekjes) in een
   driehoek, zoals op het plaatje. Gebruik hiervoor dubbelgevouwen elastiekjes. Wikkel om
   de hoekpin onder aan de rechterkolom een
   capband.

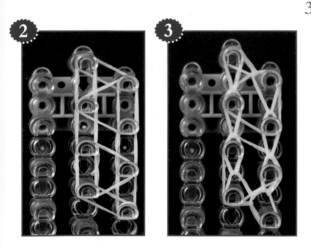

3. Haal vanaf de capband de
   linkerkant van het bloemblaadje tot de bovenste pin
   over. Ga terug naar de capband en haal de rechterkant van het bloemblaadje over, ook nu eindigend
   bij de bovenste pin van de
   loom. Zet de bovenkant
   van je loomcreatie met een
   haaknaald of c-clip vast.

4. Herhaal dit vijf keer om
   zes blaadjes te maken en
   leg ze even weg.

5. Maak voor het blad aan
   de stengel van de zonnebloem op dezelfde manier

een iets kleiner blaadje. Gebruik hiervoor groene elastiekjes die zijn
dubbelgevouwen.

6. Span in een driehoek een capband over het blaadje. Gebruik hiervoor een elastiekje dat is dubbelgevouwen. Wikkel een capband om
   de onderste pin in de rechterkolom.

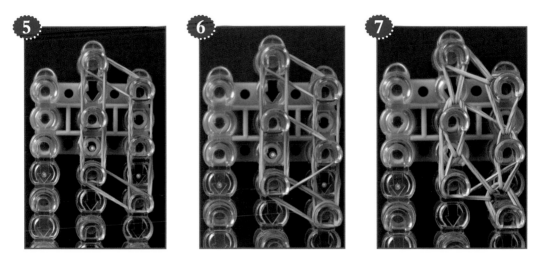

7. Haal de linkerkant van je creatie vanaf de capband over tot aan de
   bovenkant van de loom. Ga terug naar de capband en haal ook de
   elastiekjes om de pinnen aan de rechterkant van je loomcreatie over,
   eindigend bij de bovenste pin. Zet het blaadje vast en leg even weg.

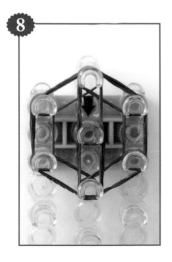

8. Bespan de loom voor het hart van de
   zonnebloem met een zeshoek van dubbelgevouwen elastiekjes. Knoop de elastiekjes in het midden van de zeshoek
   aan elkaar.

9. Span een zwarte capband, een dubbelgevouwen elastiekje, in een driehoek over het midden van de zeshoek.

10. Span voor de stengel dubbelgevouwen groene elastiekjes, zoals op het plaatje. Wikkel een capband om de onderste pin van de stengel.

11. Maak voorzichtig het groene blaadje aan de stengel vast en bevestig vijf van de zes gele zonnebloemblaadjes. Laat de ruimte voor het blaadje middenonder nog even vrij.

12. Haal de elastiekjes vanaf de capband over en eindig bovenaan, waar de bloem aan de stengel vastzit.

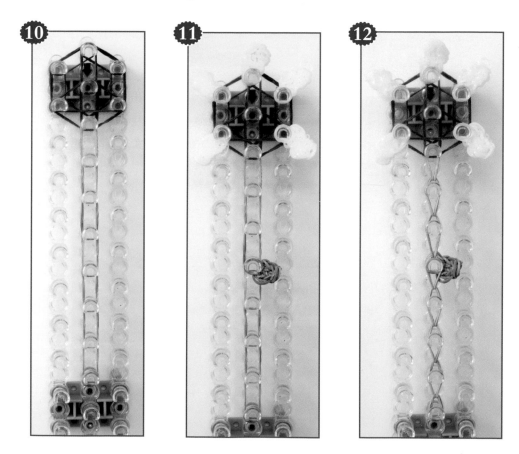

13

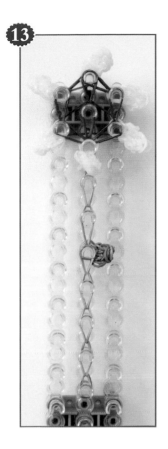

13. Maak het laatste bloemblaadje aan de pin midden onder aan de bloem vast. Haal de zwarte elastiekjes over de pinnen waar de andere einden omheen zitten. Je gebruikt zo veel elastiekjes dat je het best een tweede haaknaald kunt gebruiken om tijdens het overhalen de spanning van de elastiekjes te halen.

14. Maak je loomcreatie vast en trek hem voorzichtig van de loom.

Teenslippers

Laat het strandweer maar komen met deze coole slippers. Met deze super simpel te maken bedeltjes worden je sieraden nog mooier: hang ze bijvoorbeeld aan een oorbel of een armband.

Moeilijkheidsgraad: **makkelijk**

Je hebt nodig:

1 loom • 1 haaknaald • paarse elastiekjes • witte elastiekjes

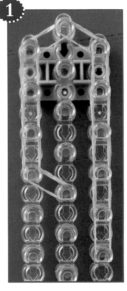

Neem een loom met de middelste kolom één pin van je af en de pijl naar je toe. Gebruik alleen elastiekjes die zijn dubbelgevouwen (om ze extra strak te maken).

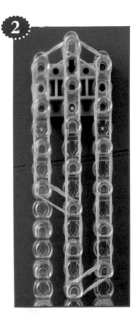

1. Begin met het spannen van de vorm van je slippers: wikkel de elastiekjes om de pinnen zoals op het plaatje. Gebruik alleen dubbel-gevouwen elastiekjes.

2. Breid de vorm op je loom nu uit met zes elastiekjes om de pinnen in de mid-denkolom. Verbind de middenkolom met een diagonaal vastgemaakt elas-tiekje met de rechterkolom.

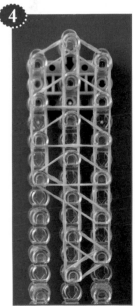

3. Span vijf capbands (stop-elastiekjes) op je loom: drie in driehoeken en twee kor-tere. Gebruik ook nu alleen elastiekjes die zijn dubbel-gevouwen. Maak een cap-band aan de onderkant van je ontwerp vast.

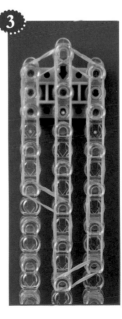

4. Haal de elastiekjes over de pinnen waar de andere ein-den omheen zitten. Begin met de elastiekjes die het hoogst om de pinnen zitten. Haal alleen een deel van de middenkolom over.

5. Haal nu ook de rest van de elastiekjes in de middenkolom over. Als je dit als laatste doet, is er weinig kans dat je ontwerp losschiet.

6. Pak twee witte elastiekjes en knoop ze als lusjes aan beide kanten van de slippers vast.

7. Draai voor het beste resultaat de witte elastiekjes een paar keer in elkaar voordat je ze met een ander elastiekje aan de bovenkant vastmaakt.

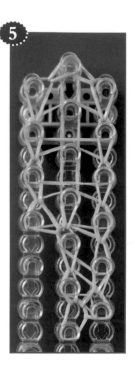

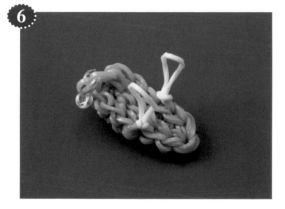

DOLLARTEKEN

Geld maakt niet gelukkig, maar met dit dollarteken van elastiekjes win je wel de jackpot. Dit bedeltje is leuk en eenvoudig om te maken, maar volg de instructies voor het ontwerp en het overhalen in de juiste volgorde.

Moeilijkheidsgraad: **gemiddeld**

Je hebt nodig:

1 loom • 1 haaknaald • elastiekjes

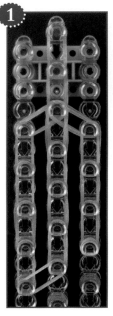

Neem een loom met de middelste kolom één pin van je af en de pijl naar je toe. Gebruik alleen dubbele elastiekjes (twee elastiekjes, gebruikt als één).

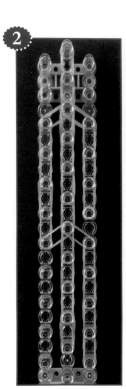

1. Span met dubbele elastiekjes de figuur op de foto op de loom. Begin met de eerste twee dubbele elastiekjes in de middenkolom. Maak daarna de vertakkingen naar de buitenste kolommen, span de elastiekjes daarbij van boven naar beneden. Ga verder met de middenkolom en verbind de middenkolom met een dubbel elastiekje met de linkerkolom.

2. Maak nu de onderkant van het dollarteken: span de elastiekjes in de middenkolom en de rechter onderkant van de S.

3. Span nu de rest van de S op de loom. Ga daarbij met de wijzers van de klok mee, alsof je met een pen een S schrijft. Maak de onderste twee dubbele elastiekjes vast om de middenkolom af te maken. Maak capbands (stop-elastiekjes) vast aan beide uiteinden van de S en aan de onderkant van het dollarteken.

4. Haal de eerste twee elastiekjes vanaf de capband onder aan het dollarteken over. Haal daarna vanaf het einde van de S de elastiekjes over. In dit deel van de S voelt het overhalen vreemd, omdat de elastiekjes daar niet, zoals je gewend bent, van onder naar boven zijn gespannen, maar maak je daar niet druk om. Zorg er bij het overhalen van het elastiekje dat de middenkolom met de rechterkolom verbindt voor dat je tegen de wijzers van de klok in werkt.

5. Haal de elastiekjes tot aan het midden van het dollarteken over en ga verder met de elastiekjes in de rechterkolom.

6. Haal nu met de klok mee de rest van de linkerkant van de S over naar de middenkolom. Haal daarna de elastiekjes vanaf de capband bij het rechter uiteinde van de S over naar de middenkolom.

7. Haal de elastiekjes in de middenkolom over tot aan de bovenkant van het dollarteken. Zet de bovenkant van je loomcreatie met een c-clip of elastiekje vast. Trek het dollarteken voorzichtig van de loom.

Appel

Maak het steeltje en blaadje van de appel van extra strakke, dubbelgevouwen elastiekjes. Wees voorzichtig bij het overhalen, zodat er geen elastiekjes knappen en je haaknaald niet breekt!

Moeilijkheidsgraad: **gemiddeld**

Je hebt nodig:

1 loom • 1 haaknaald (gebruik er een van metaal, als je die hebt)
• rode elastiekjes • groene elastiekjes • bruine elastiekjes

1. Wikkel een bruin elastiekje twee keer om je haaknaald en maak het aan de derde pin in de linkerkolom vast. Maak op dezelfde manier het steeltje van dubbelgevouwen elastiekjes.

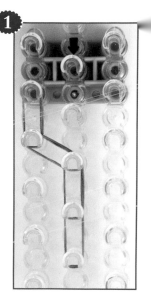

2. Span met dubbelgevouwen elastiekjes het blaadje op je loom. Begin bij de vierde middenpin en bespan de pinnen in de middenkolom met twee strengen groene dubbelgevouwen elastiekjes. Span daarna nog een dubbelgevouwen groen elastiekje tussen de eerste pin in de rechterkolom en de tweede pin in de middenkolom. Ga terug naar de vierde pin in de middenkolom en span de rechterhelft van het blaadje; eindig bij de eerste pin in de rechterkolom.

3. Span twee capbands (stop-elastiekjes) van dubbelgevouwen groene elastiekjes over het blaadje. Wikkel een groene capband drie of vier keer om de eerste pin in de rechterkolom.

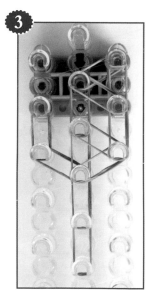

4. Span de appelvorm op je loom met dubbelgevouwen rode elastiekjes. Maak eerst de linkerkant, begin bij de zesde en eindig bij de negende pin in de middenkolom, en maak daarna de rechterkant.

5. Pak twee rode elastiekjes, wikkel ze twee keer om je haaknaald en span ze tussen de zesde en zevende pin in de middenkolom. Doe hetzelfde nog twee keer in het midden van je appelvorm.

6. Span een capband over de appelvorm. Pak twee rode elastiekjes en span ze in een driehoek over het midden van de appel. Span elastiekjes over de rijen boven en onder de driehoek. Wikkel een rode capband drie of vier keer om de onderste pin in de middenkolom om de appel vast te maken.

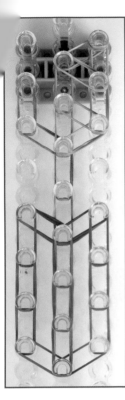

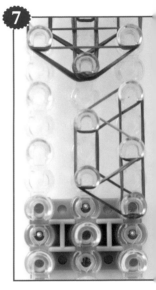

7. Span met elastiekjes een trapezium onder je appel, zoals op het plaatje Maak eerst de linker- en dan de rechterkant. Wikkel een capband rond de laatste pin in de rechterkolom. Wikkel een rode capband twee keer om je haaknaald en span hem in een driehoek over het trapezium.

8. Haal de elastiekjes vanaf de capbands aan weerszijden over en eindig bij de pinnen waar de andere einden om- heen zitten.

9. Haal je extra creatie van de loom en maak het aan de zijkant van je appel vast: haak de losse lusjes om de bovenste hoekpin en het uiteinde met de capband om de derde pin eronder. Maak je andere extra creatie op dezelfde manier aan de andere kant van de appel vast.

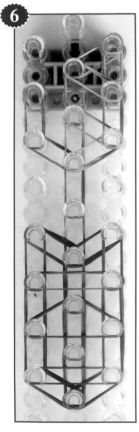

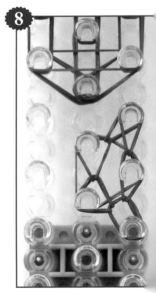

10. Begin bij de capband en haal de elastiekjes om de vier pin- nen in de middenkolom naar boven over. Haal de buitenste kolommen over naar dezelfde laatste pin. Als je alle rode elastiekjes hebt overgehaald, ga dan verder met het eerste dubbelgevouwen bruine elas- tiekje. Haal daarna het blaadje over, daarbij moet je sommige

elastiekjes naar achteren overhalen. Begin bij de pin met de capband, haal de elastiekjes daarna in beide richtingen over en eindig bij de vierde pin in de middenkolom, waar de appel aan de steel vastzit.

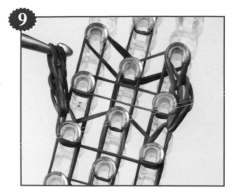

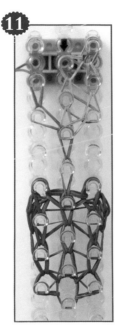

11. Maak nu het overhalen van het steeltje af. Werk daarbij naar boven, tot je alle elastiekjes op je loom hebt overgehaald. Knoop de laatste losse elastiekjes aan elkaar met een bruin elastiekje.

12. Trek de appel voorzichtig van de loom.

G-SLEUTEL

Deze kleurige G-sleutel brengt muziek in je leven! Je maakt
hem met dubbele elastiekjes, die voor extra stevigheid zorgen.

Moeilijkheidsgraad: **makkelijk**

Je hebt nodig:

1 loom • 1 haaknaald • rode elastiekjes • oranje elastiekjes •
gele elastiekjes • groene elastiekjes • blauwe elastiekjes •
paarse elastiekjes

Neem een loom met de middelste kolom één pin
van je af en de pijl naar je toe.

1. Span een reeks dubbele elastiekjes
   in de linkerkolom en span daarna
   een reeks dubbele elastiekjes tot
   halverwege de rechterkolom. Als je
   een G-sleutel in regenboogkleuren
   maakt, gebruik dan dezelfde kleuren als op de plaatjes: begin met
   oranje elastiekjes en ga verder met
   gele, groene en blauwe elastiekjes in
   de rechterkolom en groene en gele
   elastiekjes in de linkerkolom.
   Wikkel een groene capband (stop-
   elastiekje) drie of vier keer om de
   laatste pin in de rechterkolom.

2. Haal de elastiekjes in de rechterkolom over.

3. Trek de elastiekjes in de rechterkolom los en haal de lusjes aan het
   einde voorzichtig over de laatste
   pin in de linkerkolom.

4. Haal de elastiekjes in de linkerkolom over en gebruik de streng elastiekjes die je hebt gespannen als
   capband. Trek de elastiekjesstreng
   van de loom en leg even weg.

5. Span een streng paarse dubbele
   elastiekjes in de linkerkolom, tot

aan de zesde pin. Wikkel een blauwe capband drie of vier keer om de zesde pin.

6. Haal de reeks elastiekjes over zoals je gewend bent. Trek de streng van de loom en leg hem even weg.

7. Span een reeks rode dubbele elastiekjes in de middenkolom, van de eerste tot de vierde pin. Span tussen de eerste en de vierde middenpin een trapezium van rode en oranje elastiekjes in de rechterkolom. Span daarna een reeks elastiekjes in de middenkolom, begin bij de vierde middenpin en ga verder tot de onderkant van de loom. Gebruik verschillende kleuren elastiekjes als je een regenboogkleurige G-sleutel maakt.

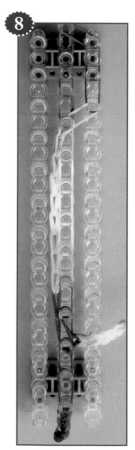

8. Span de elastiekjesstrengen die je had weggelegd op de loom. Maak de paarse streng aan de laatste middenpin

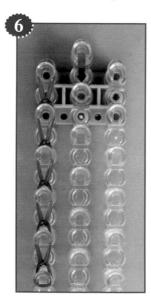

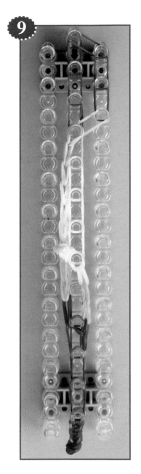

vast en maak het oranje uiteinde van de langste streng aan de vierde middenpin vast. Zoek de elfde schakel in de streng (tel de oranje schakels) en haal die over de derde pin van het einde van de loom.

9. Zoek de derde schakel van het einde van de langste streng en maak die aan de zesde pin van het einde van de loom vast. Span de strengen zoals op het plaatje, zodat je G-sleutel de juiste vorm krijgt.

10. Haal je G-sleutel over zoals je gewend bent. Knoop de laatste lusjes aan elkaar met een rood elastiekje; leg de knoop niet te strak, want dan trek je je G-sleutel uit zijn vorm.

BANAAN

Dit is misschien wel het makkelijkst te maken bedeltje! Deze lichte snack van een paar elastiekjes in de vorm van een banaan is snel binnen handbereik van de aap op bladzijde 77.

Moeilijkheidsgraad: **makkelijk**

Je hebt nodig:

1 loom • 1 haaknaald • gele elastiekjes • 2 bruine of groene elastiekjes

Neem een loom met de middelste kolom één pin van je af.

1. Span de banaanvorm op je loom met gele elastiekjes die zijn dubbelgevouwen.

2. Wikkel een bruine capband (stop-elastiekje) om de hoekpin rechts onder de vorm van de banaan.

3. Span verschillende dubbelgevouwen capbands op je loom om je creatie vast te maken. Let op: de elastiekjes in de hoek linksboven moeten in een driehoek worden gespannen.

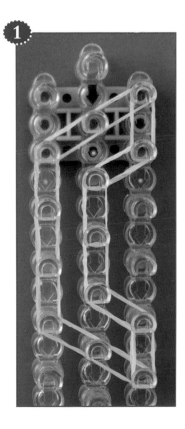
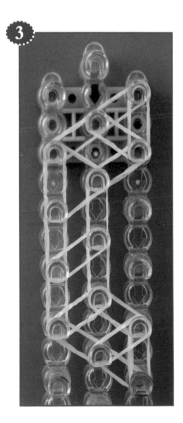

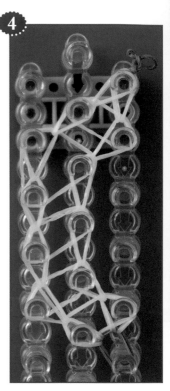

4. Haal de elastiekjes over naar de pinnen waar de andere einden omheen zitten, begin bij de bruine capband. Doe dit eerst aan de ene kant van je loomcreatie, tot onder aan de banaan, ga terug en doe hetzelfde aan de andere kant, ook nu weer tot onder aan de banaan.

5. Maak je loomcreatie af met een bruin of groen elastiekje en trek hem voorzichtig van de loom.

GIRAF

Bij dit bedeltje kun je de oranje elastiekjes vervangen door bruine om de vlekken op de giraf te maken, zoals op het plaatje. Haal de dubbelgevouwen elastiekjes voorzichtig over; ze zijn extra strak gespannen, dus zorg dat ze niet knappen en je haaknaald niet breekt!

Moeilijkheidsgraad: **moeilijk**

Je hebt nodig:

1 loom • 1 haaknaald • oranje elastiekjes • bruine elastiekjes • witte elastiekjes • zwarte elastiekjes

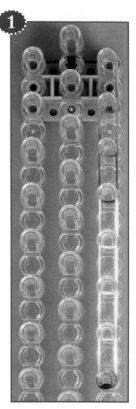

Voor de poten:

1. Span in de rechterkolom drie oranje elastiekjes tussen
   de eerste en tweede pin. Span daarna in dezelfde
   kolom een reeks elastiekjes, gebruik daarvoor twee
   sets dubbele oranje elastiekjes. Wikkel een wit elastiekje twee keer om je haaknaald en span het tussen de
   vierde en vijfde pin. Doe hetzelfde met nog drie witte
   elastiekjes. Wikkel een zwarte capband (stop-elastiekje)
   drie keer om de laatste pin (de achtste in de kolom).

2. Haal de elastiekjes van je giraffenpoot over, begin
   bij de pin met de capband. Haal de poot van de
   loom en leg hem even weg. Herhaal de stappen
   om in totaal vier poten te maken.

Voor de hoorns:

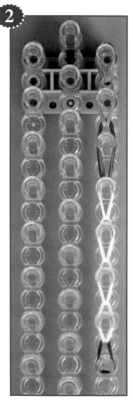

1. Wikkel een oranje elastiekje twee keer om je haaknaald en span het tussen de eerste en tweede pin in de
   linkerkolom. Herhaal en span het dubbelgevouwen
   oranje elastiekje tussen de tweede en derde pin. Wikkel een witte capband drie keer om de derde pin.

2. Haal de elastiekjes van
   de hoorn over zoals je
   gewend bent. Trek twee

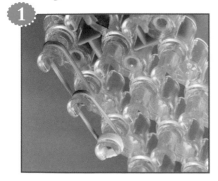

oranje elastiekjes door het laatste elastieklusje om het vast te maken. Trek de hoorn van je loom, maar laat de dubbele oranje elastiekjes aan je haaknaald zitten. Maak zo ook de tweede hoorn en laat ook die aan je haaknaald zitten.

Lichaam:

1. Span de dubbele oranje elastiekjes van een van je hoorns tussen de eerste middenpin en de eerste linkerpin. Span daarna de dubbele elastiekjes van je andere hoorn tussen de eerste middenpin en de eerste rechterpin.

2. Span voor de kop van de giraf met bruine en oranje dubbele elastiekjes een kleine zeshoek op je loom, begin bij de hoorns van de giraf. Span dubbele oranje elastiekjes over de middenstreng van de kleine zeshoek.

3. Maak nu de nek van de giraf. Span dubbele oranje elastiekjes tussen de derde en vierde middenpin. Span een oranje elastiekje tussen de derde middenpin en de linkerkolom. Herhaal de stap en verbind met de rechterkolom. Ga verder met dubbele elastiekjes spannen in de middenkolom en met elastiekjes in de buitenste kolommen, tot aan de negende pin.

4. Maak het lichaam van de giraf: span dubbele oranje elastiekjes tussen de negende pin en de linkerkolom. Herhaal de stap en verbind met de rechterkolom. Span dubbele elastiekjes tot aan het eind

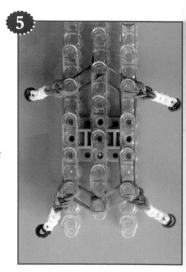

van de middenkolom en in de buitenste kolommen tot aan de een-na-laatste pin. Span om het lichaam van je giraf af te maken dubbele elastiekjes tussen de een-na-laatste en de laatste buitenste pinnen en de laatste middenpin. Wikkel een capband drie of vier keer om de laatste middenpin.

5. Maak de poten van de giraf aan het lichaam vast. Verbind de voorpoten aan de vijfde pin van onder in de buitenste kolommen. Verbind de achterpoten met de tweede pin van onder in de buitenste kolommen.

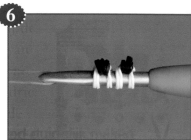

6. Maak de ogen van je giraf. Wikkel een zwart elastiekje vier keer om je haaknaald. Neem een dubbelgevouwen wit elastiekje en rijg er het zwarte elastiekje aan. Wikkel beide uiteinden van het witte elastiekje om je haaknaald. Laat het eerste oog aan je haaknaald zitten en maak op dezelfde manier het tweede oog. Span een oranje elastiekje tussen de haaknaald en je vinger en rijg de ogen eraan. Laat de ogen aan je haaknaald zitten en leg even weg.

7. Maak de oren van je giraf. Wikkel een oranje elastiekje vier keer om je haaknaald, span dubbele

oranje elastiekjes tussen je haaknaald en je vinger en rijg het om je haaknaald gewikkelde elastiekje eraan. Maak op dezelfde manier het tweede oor.

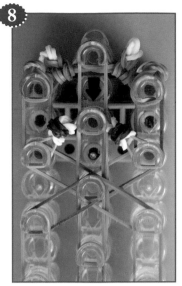

8. Maak de ogen en oren vast, zoals op het plaatje. Trek het midden van het 'oogelastiekje' over de tweede middenpin en duw de ogen naar de zijkanten van de middenpin.

9. Zet de hele giraf vast met capbands. Wikkel een oranje elastiekje twee keer om je haaknaald en span het in een driehoek over de tweede rij. Blijf driehoeken spannen over je hele loomcreatie, zoals op de foto is te zien. Trek de capband in de achtste rij in een ruitvorm. Wikkel een oranje elastiekje twee keer om je haaknaald en span het over de derde rij. Span elastiekjes in driehoeken over de twee rijen met de poten van je giraf, maar vouw ze niet dubbel.

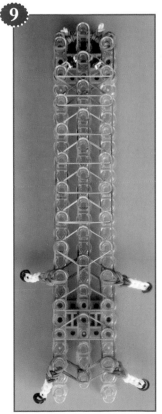

10. Begin nu vanaf de pin met de capband je giraf over te halen. Doe dit zoals je gewend bent, tot de 'kin' van je giraf (de derde middenpin). Span daarna extra elastiekjes voor de snuit van de giraf.

11. Duw de elastiekjes van de kop wat lager op de pinnen. Span dubbele witte elastiekjes tussen de tweede en derde en de derde en vierde

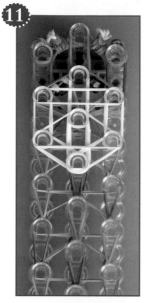

middenpin. Wikkel een wit elastiekje om je haaknaald en span het tussen de tweede en derde pin in de rechterkolom. Doe hetzelfde in de linkerkolom. Span een dubbelgevouwen wit elastiekje tussen de derde pin in de buitenste kolommen en de vierde middenpin om de snuit af te maken. Span capbands van twee keer om je haaknaald gewikkelde elastiekjes in een driehoek over de derde rij. Wikkel een wit elastiekje drie keer om je haaknaald en span het over de tweede rij (je kunt het ook twee keer om je haaknaald wikkelen, als het na drie keer te strak wordt). Wikkel een witte capband drie keer om de vierde middenpin.

12. Haal de rest van de elastiekjes van je giraf over. Trek dubbele oranje elastiekjes door de laatste losse lusjes en knoop ze vast. Trek de giraf van de loom.

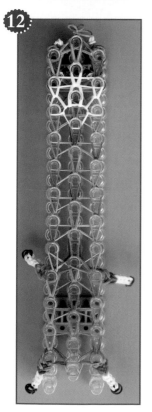

OLIFANT

Dit slurfdier ruimt de pinda's in je slaapkamer op.
Zijn oren zitten op bepaalde plaatsen aan zijn lichaam vast;
daarom moet je ze in een vreemde volgorde maken.
Lees de instructies goed!

Moeilijkheidsgraad: **gemiddeld**

Je hebt nodig:

1 loom • 1 haaknaald • paarse elastiekjes • lichtpaarse elastiekjes •
roze elastiekjes • blauwe elastiekjes • witte elastiekjes

Voor de oren:

1. Gebruik voor de oren paarse elastiekjes. Begin bij de vijfde pin in de rechterkolom en span een reeks elastiekjes; eindig bij de eerste middenpin. Begin nu bij de eerste middenpin en span een trapezium in de linkerkolom, eindig bij de vijfde middenpin. Span een elastiekje tussen de vijfde middenpin en de vijfde pin in de linkerkolom en span vandaar diagonale elastiekjes naar de zesde pin in de rechterkolom. Span een elastiekje tussen de zesde en vijfde linkerpin om de vorm af te maken.

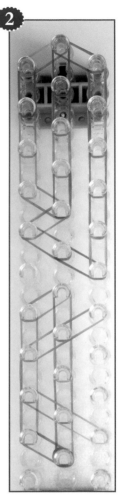

2. Span elastiekjes in een trapeziumvorm om een extra loomontwerp voor de oren te maken. Begin voor elke helft bij de middenpin, direct onder het oor. Wikkel een capband (stop-elastiekje) drie of vier keer om de elfde middenpin. Span verbindingselastiekjes over de vorm, zoals op het plaatje.

3. Haal het extra loomont-
werp over, begin bij de cap-
band en haal beide helf-
ten over, tot aan de zevende
middenpin.

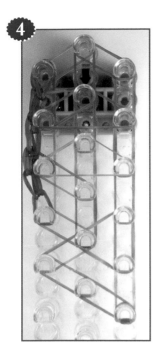

4. Trek het extra loomontwerp voorzichtig van je loom: pak het aan de ene kant bij de capband en aan de andere kant bij de losse lusjes vast. Leg het op de linkerkolom van het oor, maak de capband aan de vierde pin vast en de losse lusjes aan de eerste pin. Maak de verbindingselastiekjes aan de tweede en vierde middenpin vast. Maak een capband aan de pin rechtsonder vast. Span een paarse capband in een driehoek over de tweede rij en span een tweede capband van dubbelgevouwen elastiekjes over de derde rij. Vouw een paars elastiekje dubbel en span het in een driehoek tussen de vierde en vijfde rechterpin en de vijfde middenpin.

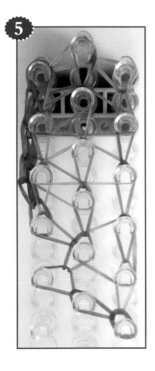

5. Haal het oor van je olifant over. Doe dit vanaf de capband tot aan de tweede pin; stop daar. Haal vanaf de capband de drie elastiekjes die naar links zijn gespannen over en eindig bij de middenpin. Haal de rest van de middenkolom over, ga terug naar de vijfde middenpin en haal de linkerkolom over. Werk langs de rand van het oor met de wijzers van de klok mee, tot aan de tweede pin in de rechterkolom. Knoop de losse lusjes om die pin met een elastiekje aan elkaar en trek het oor van je loom. Maak op dezelfde manier het tweede oor.

Voor de poten en de slurf:

1. Wikkel voor het maken van de olifantspoot twee lichtpaarse elastiekjes drie keer
   om je haaknaald en rijg ze aan een dubbelgevouwen paars elastiekje. Laat de poot aan
   je haaknaald zitten. Wikkel voor de slurf een
   paars en een roze elastiekje om je haaknaald.
   Vouw twee paarse elastiekjes dubbel en rijg
   het paarse en roze elastiekje aan de dubbelgevouwen elastiekjes.

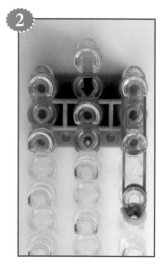

2. Span een streng dubbele elastiekjes tussen de
   eerste en derde pin. Maak de olifantspoot als
   capband aan de derde pin vast. Wikkel voor
   de slurf de dubbele elastiekjes eerst om je
   haaknaald voor je ze op je loom spant, zodat
   ze extra strak zijn gespannen.

3. Haal de streng elastiekjes over zoals je
   gewend bent. Haal de poot voorzichtig van
   je loom en leg hem weg, zodat hij niet losschiet. De slurf van de loom halen: trek een
   paars elastiekje door de losse lusjes in een
   tijdelijke schuifknoop. Maak op deze manier
   vier poten en één slurf.

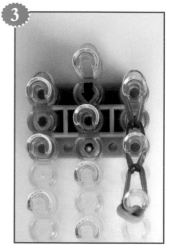

Voor het lichaam:

1. Span met dubbele paarse elastiekjes een
   kleine zeshoek op je loom. Span dubbele
   elastiekjes over het midden van de vorm.
   Span een tweede, kleinere zeshoek voor het
   lichaam van je olifant. Span ook in deze zeshoek dubbele elastiekjes over het midden.

2. Wikkel voor de ogen een blauw elastiekje drie keer om je haaknaald en omwikkel dit aan beide kanten met een wit elastiekje. Maak op dezelfde manier het tweede oog. Rijg beide ogen aan een paars elastiekje. Maak de ogen vast op de tweede rij en trek het midden van het elastiekje over de tweede middenpin.

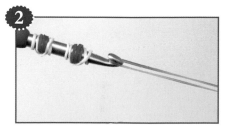

3. Maak de losse lusjes van de oren aan de eerste pinnen in de buitenste kolommen vast. Maak de schuifknoop van de slurf los en maak de slurf vast met een paars elastiekje. Maak de achter-poten van je olifant vast aan de vierde pinnen in de buitenste kolommen.

4. Span een capband in een driehoek over de tweede rij. Span een tweede capband over de vierde rij, maar doe dit nu in een driehoek die de andere kant op wijst. Wikkel daarna een capband drie of vier keer om de vijfde pin.

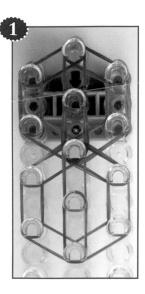

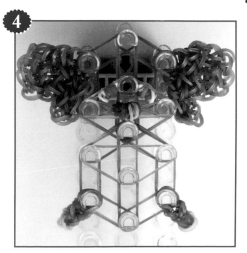

5. Haal je olifant vanaf de capband over. Haal de buitenste kolommen over, tot aan de derde pin. Prik bij het overhalen van de elastiekjes van de derde buitenste naar de derde middenpin (de nekpin) een van de andere poten op je haaknaald en schuif hem aan het elastiekje voor je hem aan de middenpin vastmaakt. Maak zo ook de poot aan de andere kant vast.

6. Haal de rest van de elastiekjes van je olifant over. Knoop de laatste losse lusjes met een elastiekje aan elkaar.

7. Trek je olifant voorzichtig van de loom.

FLiTSENDE VOS

Deze vos zegt niet veel, maar is een geweldige (en superschattige) uitbreiding van je bedeltjescollectie. Sommige elastiekjes van deze creatie staan erg strak op je loom, wees dus voorzichtig bij het overhalen.

Moeilijkheidsgraad: **gemiddeld**

Je hebt nodig:

1 loom • 1 haaknaald • oranje elastiekjes • witte elastiekjes • zwarte elastiekjes • blauwe (of een andere oogkleur) elastiekjes

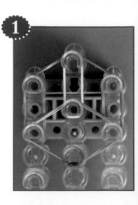

Neem een loom met de middenkolom één pin van je af en de pijl naar je toe.

Voor de oren:

1. Span een oranje elastiekje in een driehoek over de eerste rij. Span oranje elastiekjes tussen de eerste en tweede pin in de buitenste kolommen. Wikkel een oranje elastiekje twee keer om je haaknaald en maak het in een driehoek aan de derde middenpin vast. Span een wit elastiekje tussen de eerste en tweede middenpin. Trek het dubbelgevouwen oranje elastiekje in een ruitvorm over de tweede middenpin. Wikkel een zwarte capband (stop-elastiekje) drie of vier keer om de derde middenpin.

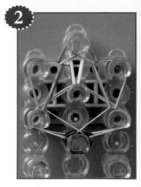

2. Haal het oor over: pak het dubbelgevouwen elastiekje bij het bovenste uiteinde. Trek het langzaam door de capband en maak het aan de tweede rechterpin vast. Maak ook het andere uiteinde aan de tweede linkerpin vast. Haal de buitenste oranje elastiekjes en het witte elastiekje over zoals je gewend bent. Haal de tweede oranje driehoek van de eerste buitenste pinnen over naar de eerste middenpin. Knoop de losse lusjes vast en leg weg. Maak zo ook het tweede oor.

Voor de poten:

1. Span twee dubbele oranje elastiekjes in de rechterkolom. Wikkel een zwart elastiekje twee keer om je haaknaald en span het tussen de derde en vierde pin. Herhaal en span tussen de vierde en vijfde pin. Wikkel een zwarte capband drie of vier keer om de vijfde pin.

2. Haal de elastiekjes voor de voorpoten over zoals je gewend bent. Span voor de achterpoten dubbele oranje elastiekjes tussen de tweede en derde middenpin.

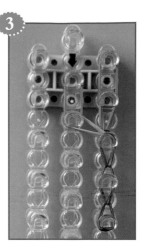

3. Trek bij het overhalen van de poten de oranje elastiekjes van de derde pin over de derde middenpin. Haal de rest van de elastiekjes over zoals je gewend bent. Haal de poot van je loom, zet losse lusjes vast met een extra haaknaald en leg opzij. Let erop dat je beide sets losse lusjes van de achterpoten vastknoopt.

Voor de staart:

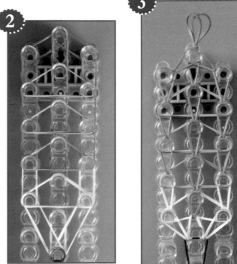

1. Maak een oranje elastiekje aan de eerste middenpin vast en verbind het met de rechter- kolom. Herhaal en verbind met de linkerkolom. Span een reeks oranje elastiekjes en eindig met een wit elastiekje in elke ko- lom. Wikkel een wit elastiekje twee keer om je haaknaald en span het tussen de zevende mid- denpin en de vijfde rechter- pin. Herhaal aan de andere kant. Wikkel een zwarte capband drie of vier keer om de zevende middenpin.

2. Wikkel een oranje elastiekje twee keer om je haaknaald en span het in een driehoek over de tweede rij. Herhaal tot je vier driehoeken over de staart hebt gespannen en gebruik voor de laatste driehoek een wit elastiekje.

3. Haal de staart over zoals je gewend bent: eerst de middenkolom en daarna de buitenste kolommen.

4. Zet de losse lusjes vast met een extra haaknaald en leg even weg.

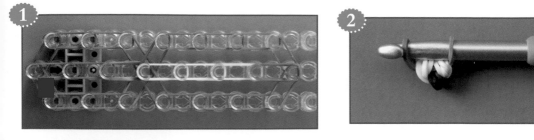

De onderdelen aan elkaar vastmaken:

1. Span voor de kop van de vos met dubbele oranje elastiekjes een langgerekte zeshoek. Span dubbele oranje elastiekjes over het midden van de zeshoek. Span met dubbele oranje elastiekjes een grotere zeshoek voor het lichaam. Span een reeks dubbele elastiekjes in het midden van de grote zeshoek, begin met witte en eindig met oranje elastiekjes.

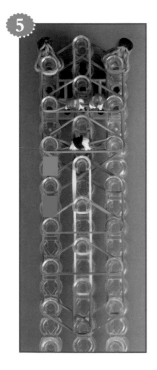

2. Wikkel een zwarte capband vier keer om je haaknaald en rijg hem aan twee dubbelgevouwen witte elastiekjes. Dit is de snuit. Rijg de witte elastiekjes aan een oranje elastiekje. Leg voorzichtig weg of prik op de extra haaknaald.

3. Wikkel een blauw elastiekje vier keer om je haaknaald. Rijg het aan een wit elastiekje dat is dubbelgevouwen, zoals je ook bij de snuit deed. Herhaal om het tweede oog te maken. Rijg beide ogen aan een oranje elastiekje.

4. Maak het elastiekje met de ogen aan de buitenste pinnen in de tweede rij vast. Maak de snuit aan de derde rij vast. Maak de oren aan de eerste twee pinnen in de linker- en rechterkolom vast.

5. Span een oranje elastiekje in een driehoek over de tweede rij. Herhaal op de derde rij. Span

dubbele oranje elastiekjes in een driehoek over de vijfde en zesde rij.

6. Maak de staart aan de achtste middenpin vast. Maak de achterpoten aan de zesde en zevende pin in de buitenste kolommen vast.

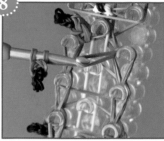

7. Begin met het overhalen van de vos vanaf de pin met de staart. Haal alle elastiekjes vanaf die pin over en ga verder met de buitenste pinnen, tot aan de diagonale nekpinnen.

8. Prik een van de voorpoten op je haaknaald. Haal het diagonale oranje elastiekje over van- af de vierde buitenpin en rijg de lusjes van de poot aan het elastiekje voordat je het over de vierde middenpin trekt. Doe hetzelfde met de andere poot.

9. Haal de rest van de elastiekjes aan de middenpinnen in het lichaam over. Ga door met het overhalen van de vos zoals je gewend bent.

10. Knoop de laatste losse lusjes aan elkaar met een oranje elastiekje. Trek de vos van je loom. Met de haaknaald kun je het ge- knoopte elas- tiekje achter in de kop van de vos duwen.

UiL

Oehoe! Wat een snoezige uil is dit! Dit bedeltje bestaat uit veel kleine onderdelen. Sommige daarvan maak je op je loom, andere op je haaknaald. Volg de instructies en sla geen enkele stap over!

Moeilijkheidsgraad: **makkelijk**

Je hebt nodig:

1 loom • 1 haaknaald • grijze elastiekjes • oranje elastiekjes • witte elastiekjes • blauwe elastiekjes

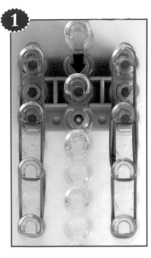

Voor de vleugels:

1. Span een reeks dubbele elastiekjes in de buitenste kolommen, begin bij de eerste en eindig bij de vierde pin. Gebruik telkens een oranje en een grijs elastiekje. Wikkel een capband (stop-elastiekje) drie of vier keer om de vierde pin in beide kolommen.

2. Haal de vleugels over zoals je gewend bent. Trek van je loom en leg voorzichtig weg.

Voor het lichaam:

1. Span met dubbele grijze elastiekjes een kleine zeshoek op je loom. Span een reeks dubbele grijze elastiekjes in het midden van de zeshoek.

2. Wikkel voor het maken van de voeten twee oranje elastiekjes drie keer om je haaknaald en rijg ze aan dubbele oranje elastiekjes. Wikkel voor je het eind van het dubbele oranje elastiekje aan je haaknaald vastmaakt een oranje elastiekje drie keer om je haaknaald. Wikkel nu het eind van het dubbele elastiekje erom. Rijg alle oranje elastiekjes aan een dubbel grijs elastiekje. Leg weg en maak op dezelfde manier de andere voet van de uil.

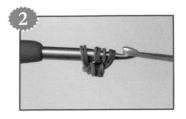

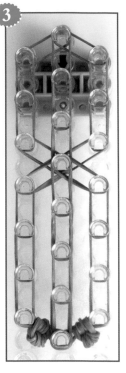

3. Span voor het lichaam van de uil met dubbele grijze elastiekjes een langere zeshoek. Span over de onderste diagonale de grijze elastiekjes van de voeten van je uil. Span een reeks elastiekjes midden over de grootste zeshoek. Gebruik een oranje en een grijs elastiekje voor het eerste dubbele elastiekje en drie grijze elastiekjes voor de volgende drie.

4. Wikkel voor de ogen een blauw elastiekje vier keer om je haaknaald en wikkel daarnaast twee witte elastiekjes, aan beide kanten een. Maak op dezelfde manier het tweede oog. Rijg daarna beide ogen aan een grijs elastiekje en span het over de tweede rij.

5. Wikkel voor de snavel een oranje elastiekje vier keer om je haaknaald. Pak een dubbel oranje elastiekje en vouw het dubbel om het extra strak te spannen voor je het elastiekje eraan rijgt. Wikkel beide uiteinden van het dubbele oranje elastiekje aan je haaknaald. Rijg daarna alle oranje elastiekjes aan een grijs elastiekje en span het over de derde rij.

6. Wikkel voor de oren een grijs elastiekje vier keer om je haaknaald. Rijg het aan een dubbelgevouwen grijs elastiekje. Maak het oor aan de eerste rechterpin vast. Loom op dezelfde manier het tweede oor en maak het aan de eerste linkerpin vast. Bevestig de vleugels van je uil aan de vierde pin in de buitenste kolommen.

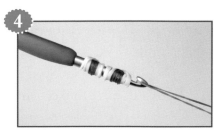

7. Span capbands over je uil. Span een elastiekje 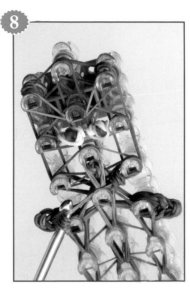 in een driehoek over de tweede rij. Herhaal op de derde, vijfde en zesde rij. Wikkel een capband drie of vier keer om de laatste middenpin.

8. Haal je uil over zoals je gewend bent. Haal de elastiekjes aan de buitenste pinnen over tot de nekpin en haal daarna de elastiekjes in het midden over. Stop als je van de nekpin tot het gezicht hebt overgehaald. Wikkel voor extra bolle wangen een grijs elastiekje vier keer om je haaknaald. Haak de naald achter het elastiekje om de derde linkerpin en rijg het om je haaknaald gewikkelde grijze elastiekje eraan voor je het weer over de derde pin links spant. Doe hetzelfde bij de derde pin rechts. Span een oranje elastiekje tussen de eerste linker- en rechterpin en trek het midden over de tweede middenpin.

9. Ga verder met het overhalen van je uil zoals je gewend bent. Haal de buitenste pinnen van de kop over en daarna de middenpinnen. Knoop de laatste losse lusjes aan elkaar met een grijs elastiekje. Trek de uil van je loom.

10. Wikkel voor de staart drie grijze elastiekjes
twee keer om je haaknaald en span ze tussen de eerste en de tweede pin. Wikkel twee
grijze elastiekjes twee keer om je haaknaald
en span ze tussen de eerste en de tweede pin.
Wikkel een grijze capband vier of vijf keer
om de derde pin.

11. Haal de staart over zoals je gewend bent.
Knoop de laatste losse lusjes met een grijs
elastiekje aan elkaar. Haal de staart van de
loom.

12. Steek voor het vastmaken van de staart je
haaknaald door een lusje aan de kont van
de uil en trek het elastiekje van de staart
door het lusje. Trek de staart door het lusje
van het grijze elastiekje om hem vast te
zetten.

RAKET

Drie, twee, één, lanceren! Voor deze raket moet je een aantal elastiekjes dubbelvouwen om ze extra strak te maken, maar veel van de andere elastiekjes hoef je niet dubbel te vouwen. Lees de instructies dus goed!

Moeilijkheidsgraad: **makkelijk**

Je hebt nodig:

1 loom • 1 haaknaald • rode elastiekjes • witte elastiekjes • blauwe gelelastiekjes • gele elastiekjes • oranje elastiekjes

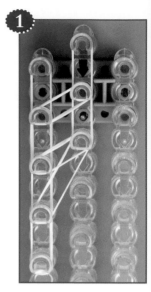

Neem een loom met de middelste kolom één pin van je af en de pijl naar je toe.

Voor de straalmotoren:

1. Span in de midden- en linkerkolom een enkel elastiekje tussen de eerste en tweede pin. Span daarna dubbele elastiekjes in de linkerkolom. Stop bij de vierde pin en verbind deze met een diagonaal dubbel elastiekje met de middenkolom. Ga daarna verder met de vijfde pin. Wikkel een capband (stop-elastiekje) drie of vier keer om de vijfde pin. Zet vast met twee dubbelgevouwen capbands.

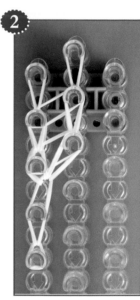

2. Haal de straalmotoren over. Trek van je loom en leg weg, zodat ze niet losschieten. Maak op deze manier vier straalmotoren.

Voor het vuur:

1. Vouw een wit elastiekje dubbel en span het tussen de eerste en de tweede middenpin. Herhaal en span tussen de tweede en derde pin. Wikkel een geel elastiekje om je haaknaald en span het tussen de tweede middenpin en de tweede linkerpin. Herhaal in de rechterkolom. Ga verder met het spannen van dubbelgevouwen elastiekjes in de drie kolommen van je loom, eerst gele, dan oranje en ten slotte rode. Wikkel een rode capband drie of vier keer om de laatste pinnen.

2. Wikkel een gele capband twee keer om je haaknaald en span hem over de tweede rij. Span op deze manier ook een gele capband over de derde, een oranje over de vierde en vijfde en een rode over de zesde rij.

3. Haal het vuur van de raket over, begin bij de cap-band en werk terug naar de bovenkant van de loom. Trek het vuur voorzichtig van de loom en leg weg.

Voor de neus van de raket:

1. Span dubbelgevouwen rode elastiekjes van de eerste naar de vierde pin. Wikkel een rode capband drie of vier keer om de vierde pin.

2. Haal de raketneus over zoals je gewend bent. Trek de raket-neus van de loom en leg hem weg, zodat hij niet losschiet.

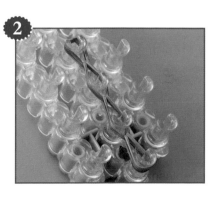

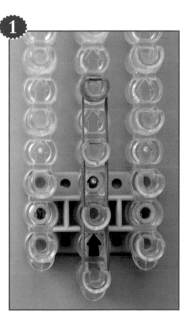

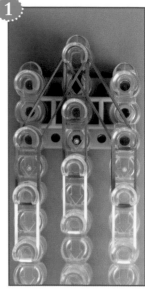

Voor de raket:

1. Span twee rode elastiekjes tussen de eerste en de tweede pin en tussen de tweede en derde midden- pin. Span daarna een rood elastiekje tussen de eerste middenpin en de tweede rechterpin. Doe hetzelfde in de linkerkolom. Span dubbele rode elastiekjes tussen de tweede en de derde pin in de buitenste kolommen. Span dubbele witte elastiek- jes tussen de derde en vierde pin in alle kolommen.

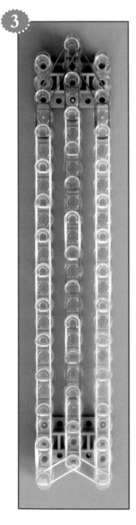

2. Span drie doorzichtige blauwe gelelastiekjes tussen de vierde en vijfde en de vijfde en zesde middenpin. Span drie witte elas- tiekjes tussen de zesde en zeven- de middenpin en span daarna opnieuw twee sets doorzichtige blauwe gelelastiekjes. Span drie witte elastiekjes tussen de negende en tiende middenpin. Span een reeks witte driedub- bele elastiekjes in de buitenste kolommen, tussen de vierde en de achtste pin.

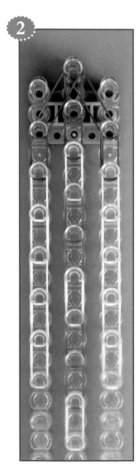

3. Span drie blauwe gelelastiekjes tussen de tiende en elfde mid- denpin. Wikkel een wit elastiek- je twee keer om je haaknaald en span het in de middenkolom tussen de elfde en twaalfde pin. Herhaal en span nu om de laat-

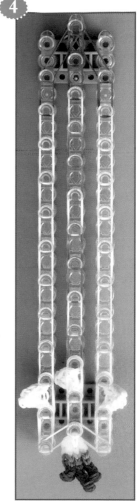

ste twee pinnen in de kolom. Span dubbele witte elastiekjes in de buitenste kolommen, van de
achtste tot de een-na-laatste pin. Span drie witte
elastiekje tussen de een-na-laatste en de laatste
pin in de buitenste kolommen. Maak de raket af
door twee witte elastiekjes tussen de laatste middenpin en de laatste buitenste pin te spannen;
herhaal aan de andere kant.

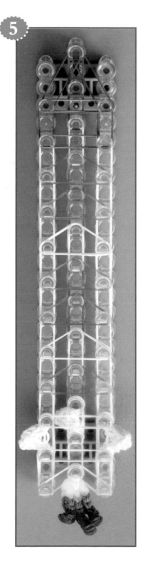

4. Maak het vuur van de raket
   aan de laatste middenpin vast.
   Maak twee van de straalmotoren aan de op twee- en een-
   na-laatste pin van het eind van
   de buitenste kolommen vast.
   Maak de derde straalmotor
   aan de op een- en twee-na-
   laatste pin van het eind van
   de middenkolom vast: draai
   je loom om, zodat hij met de
   punt omlaag wijst, en maak
   de twee andere sets elastiekjes
   vast zoals de andere twee.

5. Span nu de capbands (stop-elastiekjes). Wikkel
   een wit elastiekje twee keer om je haaknaald
   en span het tussen de tweede en laatste rij op je
   loom. Herhaal op de volgende rij. Span elastiekjes in een driehoek over de rest van de rijen van
   je raket: gebruik blauwe elastiekjes op de rijen
   met ramen en dubbele witte elastiekjes voor de
   rijen zonder ramen. Wikkel een rood elastiekje
   twee keer om je haaknaald en span het over de
   derde rij. Doe hetzelfde op de tweede rij.

6. Maak je laatste straalmotor aan de bovenkant van de middenkolom vast: span de twee strengen elastiekjes aan de op een- en twee-na-laatste pin van het einde van de kolom, met de punt naar boven.

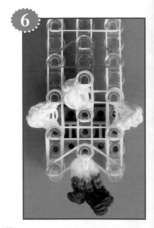

7. Maak de neus van de raket aan de eerste middenpin vast.

8. Begin met het overhalen van de raket bij de laatste middenpin, waaraan je het vuur hebt vastgemaakt. Haal eerst de buitenste kolommen over en daarna de middenkolom. Als je bij de aan de midden-

kolom vastgemaakte straalmotor bent, trek de straalmotor dan door het elastiekje wanneer je het over de laatste pin van het eind trekt. Als je dat doet, steekt de straalmotor uit en ligt hij niet plat op je loom. Knoop de laatste losse lusjes met een rood elastiekje aan elkaar.

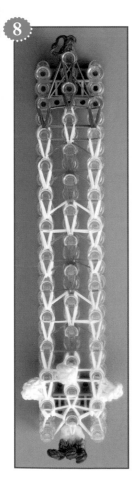

9. Trek je raket van de loom!

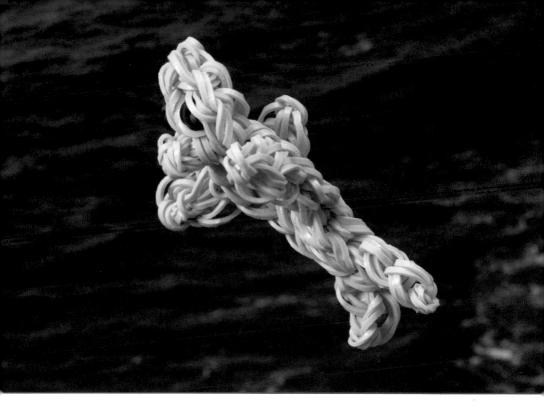

DOLFIJN

Duik in deze geweldige loomcreatie! Deze grappige dolfijn is een fijn vriendje voor je andere bedeltjes, maar we kunnen niet garanderen dat hij kan zwemmen.

Moeilijkheidsgraad: **gemiddeld**

Je hebt nodig:

1 loom • 2 haaknaalden • blauwe elastiekjes • witte elastiekjes

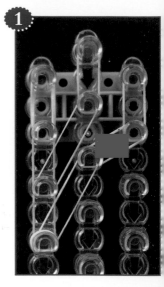

Neem een loom met de middelste kolom één pin van je af en de pijl naar je toe.

1. Span met blauwe elastiekjes de vinnen op je loom, zoals op het plaatje. Maak de twee diagonale elastiekjes met twee pinnen tussenruimte vast. Wikkel een capband (stop-elastiekje) om de onderste pin.

2. Span een capband in een driehoek over het midden van de vin en een kortere capband diagonaal tussen de derde linkerpin en de onderste middenpin. Gebruik voor beide capbands elastiekjes die zijn dubbelgevouwen.

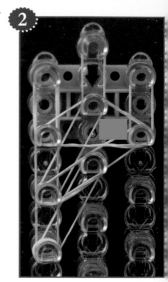

3. Begin bij de capbands met het overhalen van de elastiekjes naar de pinnen waar de andere einden omheen zitten. Haal de diagonale elastiekjes over, maar niet de capbands.

4. Span voor de rugvin een iets kleinere vorm dan voor de andere vinnen. Gebruik blauwe elastiekjes en span de elastiekjes, zoals op het plaatje. Wikkel een capband om de onderste pin.

5. Verbind de tweede pinnen met een dubbelgevouwen capband.

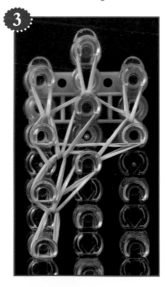

6. Haal de elastiekjes vanaf de capbands over naar de pinnen waar de andere einden omheen zitten.

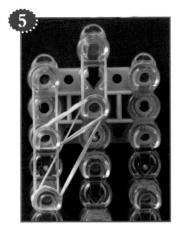

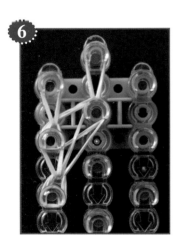

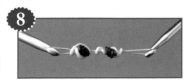

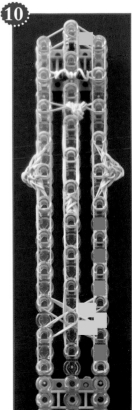

7. Wikkel voor de ogen een zwart elastiekje een paar keer om je haaknaald. Wikkel voor het witte deel van de ogen een wit elastiekje twee keer om een kant van het zwarte elastiekje en doe hetzelfde aan de andere kant. Herhaal om het tweede oog te maken.

8. Rijg beide ogen aan een blauw elastiekje.

9. Gebruik voor het lichaam van de dolfijn dubbele elastiekjes. Span ze zoals op het plaatje op je loom en gebruik in het midden witte elastiekjes voor de buik van de dolfijn. Span eerst de elastiekjes in de buitenste kolommen en daarna die in de middenkolom.

10. Maak de vinnen aan de buitenkant van het lichaam vast (aan pin 4, 5 en 6 aan beide kanten). Maak de rugvin ondersteboven vast aan pin 6 en 7. Maak de ogen en snuit aan het gezicht vast. Maak de snuit van een

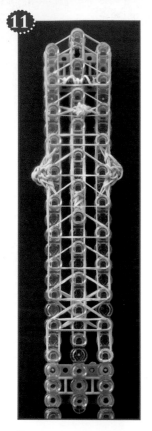

streng dubbele elastiekjes met twee of drie schakels. Maak aan de onderkant van de dolfijn twee
diagonale dubbele elastiekjes vast en span voor
de staartvin twee sets dubbele elastiekjes naar de
buitenste kolommen. Eindig met capbands.

11. Span capbands over het lichaam van de dolfijn.
Gebruik voor de twee bovenste capbands, die je
in een driehoek spant, enkele elastiekjes. Neem
voor de over de vierde rij gespannen capband
een enkel elastiekje dat twee keer is dubbelgevouwen. Span de volgende twee capbands in een
driehoek met enkele elastiekjes en span daarna
een driehoek van twee capbands die zijn dubbelgevouwen om ze extra strak te maken. Gebruik
als laatste capband een dubbel elastiekje.

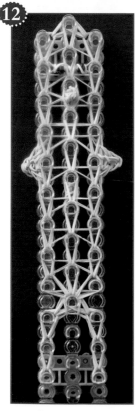

12. Haal vanaf de capbands voorzichtig alle elastiekjes over naar de pinnen waar de andere einden
omheen zitten. Haal eerst de buitenste elastiekjes
over en eindig in de middenkolom. Maak voor je
de dolfijn van je loom trekt de bovenkant van je
loomcreatie vast met een c-clip of elastiekje.

TULP

Deze prachtige tulp is zo simpel te maken dat je in een oogwenk een heel boeket bij elkaar loomt. De instructies zijn bedoeld voor een kleine tulp, maar als je liever een grote maakt, gebruik dan dubbele in plaats van de strakke dubbelgevouwen elastiekjes.

Moeilijkheidsgraad: **makkelijk**

Je hebt nodig:

1 loom • 1 haaknaald • groene elastiekjes • roze elastiekjes
(of een andere kleur)

Neem een loom met de middelste kolom één pin van je af en de pijl naar je toe. Gebruik alleen elastiekjes die zijn dubbelgevouwen.

1. Span met dubbelgevouwen groene elastiekjes de vorm van de steel op je loom, zoals op de foto. Bespan eerst de middenkolom en daarna de buitenste kolommen. Zet de buitenste bladeren vast met een capband (stop-elastiekje).

2. Haal de elastiekjes vanaf de cap-bands in de buitenste kolommen over naar de pinnen waar de andere einden omheen zitten, tot aan de steel in het midden.

3. Maak ruimte in de buitenste kolommen vrij door de blaadjes van de meeste pinnen te trekken, maar trek ze niet helemaal van je loom. Begin boven aan de steel de vorm van de bloem te spannen. Wikkel capbands om alle uiteinden van de blaadjes.

4. Span drie capbands in een driehoek over de bloem. Gebruik voor de bovenste driehoek twee roze elastiekjes en voor de andere twee dubbelgevouwen elastiekjes.

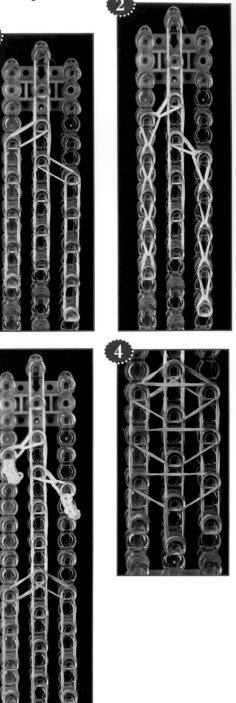

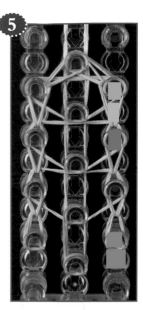

5. Haal de buitenste kolommen vanaf de capbands over, over de hele lengte van de steel.

6. Haal daarna vanaf de capband in de middenkolom alle elastiekjes over naar de pinnen waar
de andere einden om zitten, tot boven aan de
steel. Maak de steel met een extra elastiekje
vast, zodat je loomcreatie niet losschiet.

7. Trek de tulp voorzichtig van je loom.

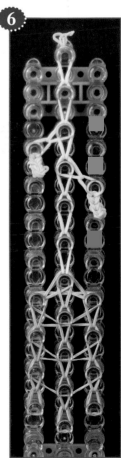

SLOT EN SLEUTEL

Met deze schattige bedeltjes kun je iemand duidelijk maken wat je voor hem of haar voelt. Geef ze bijvoorbeeld aan een vriend of vriendin op Valentijnsdag. Veel elastiekjes zijn dubbelgevouwen, dus voorzichtig met overhalen!

Moeilijkheidsgraad: **makkelijk**

Je hebt nodig:

1 loom • 1 haaknaald • gele elastiekjes • rode elastiekjes • grijze elastiekjes

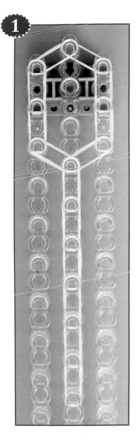

Neem een loom met de middelste kolom één pin van je af en de pijl naar je toe.

Voor de sleutel:

1. Span dubbelgevouwen gele elastiekjes in een zeshoek op je loom. Span daarna een reeks dubbelgevouwen gele elastiekjes tussen de vierde en tiende middenpin.

2. Wikkel voor de 'tanden' van de sleutel een geel elastiekje vier keer om je haaknaald. Vouw een tweede geel elastiekje dubbel en rijg het elastiekje aan je haaknaald eraan. Wikkel beide uiteinden van het elastiekje om je haaknaald. Rijg het elastiekje aan een ander dubbelgevouwen geel elastiekje. Herhaal om twee tanden te maken.

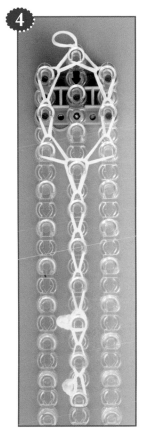

3. Maak om de tanden aan de sleutel te bevestigen de ene aan de laatste pin en de tweede aan de op twee-na-laatste pin vast.

4. Haal de sleutel over zoals je gewend bent. Knoop de laatste lusjes aan elkaar met een geel elastiekje.

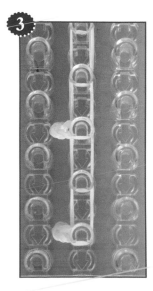

Voor het slot:

1. Span een streng dubbelgevouwen gele elastiekjes
   in de rechterkolom, tot aan het eind. Wikkel een
   gele capband (stop-elastiekje) drie of vier keer
   om de laatste pin.

2. Haal de streng gele elastiekjes over zoals je gewend bent. Trek van de loom en leg weg zodat
   hij niet losschiet.

3. Span met dubbele rode elastiekjes de vorm van
   het slot op je loom. Span twee rode elastiekjes
   tussen de tweede middenpin en de eerste buiten-
   ste pinnen. Ga verder met het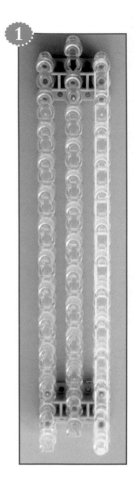
   spannen van dubbele elastiekjes
   in de vorm van een half hart
   en span daarna de andere helft
   van de hartvorm op je loom.
   Wikkel een rood elastiekje
   twee keer om je haaknaald en
   span het tussen de tweede en
   derde middenpin. Span twee
   rode elastiekjes tussen de derde
   en vierde middenpin en daar-
   na twee grijze elastiekjes tussen
   de vierde en vijfde pin. Wikkel
   een rode capband drie of vier
   keer om de laatste middenpin.
   Span dubbele rode capbands
   over de tweede en derde rij en
   een dubbelgevouwen capband
   over de vierde rij.

4. Span de eerder gemaakte gele streng tussen de eerste pinnen in de buitenste kolommen.

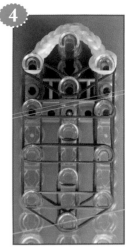

5. Haal het slot over zoals je gewend bent. Begin in de buitenste kolommen, haal de elastiekjes over naar de tweede middenpin en haal daarna de middenkolom over. Wikkel voor het aanbrengen van extra details een grijs elastiekje vier keer om je haaknaald. Rijg bij het overhalen van de elastiekjes van de vierde naar de derde pin de overgehaalde elastiekjes aan een rood elastiekje voor je het over de pin trekt. Ga verder met overhalen zoals je gewend bent. Knoop de laatste losse lusjes met een rood elastiekje aan elkaar.

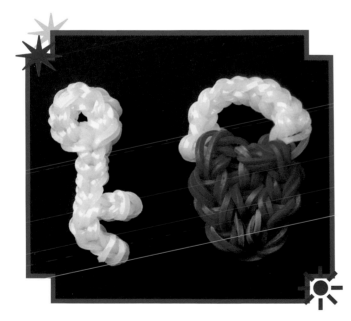

JEEP

Vroem! Scheur weg met deze snelle jeep! Hij bestaat grotendeels uit dubbele elastiekjes en zit dus steviger in elkaar dan andere creaties. Daarom is hij makkelijk te maken. Gebruik elastiekjes in alle kleuren van de regenboog voor deze benzineslurper!

Moeilijkheidsgraad: **gemiddeld**

Je hebt nodig:

1 loom • 1 haaknaald • rode elastiekjes • zwarte elastiekjes • gele elastiekjes • grijze elastiekjes • doorzichtige elastiekjes • blauwe elastiekjes • witte elastiekjes

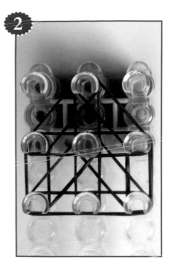

Voor de wielen:

1. Span met dubbele zwarte elastiekjes een vijfhoek op je loom, begin bij de eerste en eindig bij de derde middenpin.

2. Span een zwart elastiekje tussen de tweede middenpin en de derde rechterpin. Blijf elastiekjes vanaf de middenpin spannen naar de pinnen van de vijfhoek, werk tegen de klok in (zodat je bij de derde middenpin eindigt). Wikkel een rode capband (stop-elastiekje) drie of vier keer om de middenpin.

3. Trek de elastiekjes voor de spaken door de capband en haal ze over de pinnen waar de andere einden omheen zitten. Werk nu met de klok mee (in de tegengestelde richting).

4. Wikkel een zwarte capband drie of vier keer om de derde middenpin. Haal de elastiekjes van de vijfhoek vanaf de capband over naar de pinnen waar de einden omheen zitten. Knoop de losse lusjes aan elkaar met een zwart elastiekje en haal je wiel van de loom. Maak op deze manier vier wielen.

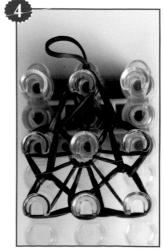

Voor de ramen en het dak:

1. Span met doorzichtige en rode dubbele elastiekjes de vorm van de ramen en het dak op je loom, zoals op het plaatje. Span eerst de doorzichtige diagonale elastiekjes om de voorruit te maken. Span daarna de dubbele doorzichtige en rode elastiekjes in alle drie

de kolommen, zoals op het plaatje. Span over de zevende rij een rood elastiekje tussen de buitenste pinnen en verbind met de middenpin.

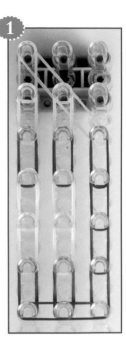

2. Wikkel een capband (stop-elastiekje) twee keer om de tweede pin in de rechterkolom. Doe hetzelfde bij de rest van de pinnen in de kolom (maar sla de eerste over). Je gebruikt de elastiekjes later om het dak van de auto aan de carrosserie vast te maken.

3. Wikkel een doorzichtig elas-tiekje twee keer om je haak-naald en span het tussen de eerste twee pinnen op de tweede rij. Wikkel een rood elastiekje twee keer om je haaknaald en span het om al-le drie de pinnen op de derde rij. Ga verder met het span-nen van capbands over de vierde, vijfde en zesde rij. Gebruik op de vijfde rij doorzichtige elastiekjes.

4. Haal de vorm over de hele rijen van links naar rechts over vanaf de laatste pin in de linkerkolom. Haal daarna de midden- en ten slotte de rechter-kolom over. Haal de diagonale doorzichtige elastiekjes over en maak het overhalen van de linkerkolom af. Knoop de losse lusjes met een doorzichtig elastiekje aan elkaar.

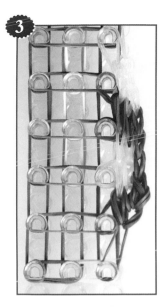

Voor de carrosserie:

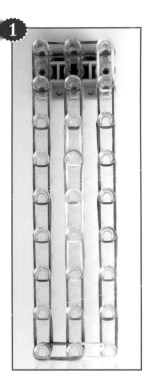

1. Span met dubbele elastiekjes de vorm van de carrosserie op je loom. Wikkel een grijze capband (stop-elastiekje) drie of vier keer om de laatste linkerpin.

2. Vouw een rood elastiekje dubbel en span het tussen de tweede en laatste rij van de carrosserie. Span op dezelfde manier capbands over alle rijen, maar sla de eerste en laatste rij over (de rijen met de bumpers en lichten).

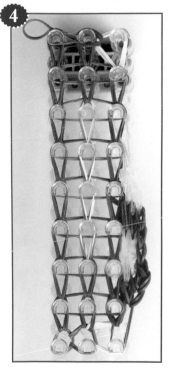

3. Maak de motorkap en de voorruit op zeven plaatsen aan je loom vast met de elastiekjes aan de randen van je loomcreatie.

4. Haal de auto over vanaf de laatste pin in de linkerkolom, waarom je een capband hebt gewikkeld. Haal de laatste rij van links naar rechts over en haal daarna de rechterkolom over, waaraan je de bovenkant van de jeep hebt vastgemaakt. Knoop de laatste losse lusjes met een grijs elastiekje aan elkaar en trek de auto van je loom.

5. Gebruik je haaknaald om het einde van het grijze elastiekje in de auto weg te stoppen. Pak een van de wielen en steek je haaknaald er midden door. Trek het zwarte elastiekje door het wiel. Steek nu je haaknaald in de jeep, op de plaats waar je het wiel wilt vastmaken. Pak het lusje van het zwarte elastiekje, trek het door de jeep, open het lusje met je vingers en duw het wiel erdoor om het vast te maken. Steek je haaknaald door hetzelfde lusje, van de kant waar het wiel vastzit en

maak het tweede wiel op dezelfde manier aan de andere kant van de auto vast. Maak zo ook de laatste twee wielen aan de jeep vast.

AAP

Jij zet jezelf echt niet voor aap met dit bedeltje! Dit grappige aapje is een mooie aanvulling op je collectie dierenbedeltjes. Met de hoge hoed (blz. 8) en de banaan (blz. 30) wordt dit ontwerp nog leuker!

Moeilijkheidsgraad: **makkelijk**

1 loom • 1 haaknaald • zwarte elastiekjes • witte elastiekjes • blauwe elastiekjes

Neem een loom met de middelste kolom één pin van
je af en de pijl naar je toe. Gebruik alleen dubbele elastiekjes.

1. Span voor de armen vijf zwarte dubbele elastiekjes.
   Span onderaan de kolom twee capbands (stop-elastiekjes), die de vingers van de aap voorstellen.

2. Haal de elastiekjes vanaf de capbands over naar de
   pinnen waar de andere einden omheen zitten. Maak
   de elastiekjes tijdelijk vast, haal van de loom en leg
   weg. Maak op dezelfde manier de tweede arm.

3. Op het volgende plaatje zie je hoe je de ogen
   (links) en de oren (rechts) maakt. Span voor de
   ogen een wit elastiekje, een dubbel zwart elastiekje
   en een blauwe capband en voor de oren een zwart
   dubbel elastiekje en een capband op je loom.

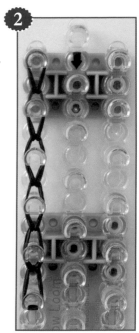

4. Haal de elastiekjes vanaf de capband over naar de pinnen waar
   de andere einden omheen zitten. Herhaal stap 3 en 4 om het
   tweede oog en het tweede oor
   te maken.

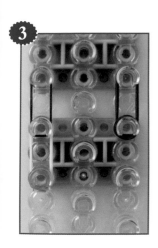

5. Span voor de kop van de aap
   met zwarte en witte dubbele
   elastiekjes een zeshoek (zoals
   op het plaatje). Span daarna
   een reeks elastiekjes in de
   middenkolom van de zeshoek.

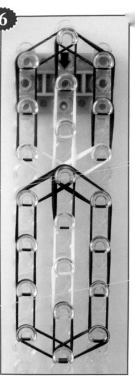

6. Span nu voor de romp onder de kop een grote zeshoek van zwarte en witte dubbele elastiekjes.

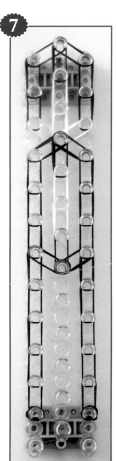

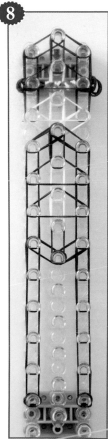

7. Maak aan weerszijden van de aap de benen vast. Span voor de benen vijf zwarte dubbele elastiekjes en eindig met twee capbands om de laatste pin.

8. Span twee capbands in een driehoek over de romp van de aap. Gebruik hiervoor zwarte elastiekjes. Maak de ogen en oren aan de kop vast (beide aan de tweede pin in de buitenste kolommen) en span een witte en een zwarte capband.

9. Haal de elastiekjes vanaf de voetpinnen met de capbands over naar de pinnen waar de andere einden omheen zitten. Haal de

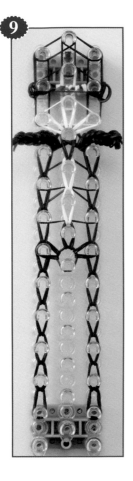

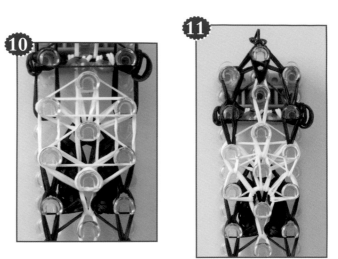

buitenste kolommen over tot boven aan de schouders (de diagonale elastiekjes). Schuif tijdens het overhalen de armen over de schouderelastiekjes. Zo zorg je ervoor dat de armen op de juiste plaats blijven zitten. Maak beide armen vast en haal de middenkolom van de romp van de aap en het witte deel van de mond van de aap over. Stop hier met overhalen.

10. Maak nu het grote deel van de kin van de aap. Duw alle elastiekjes en de armen omlaag zodat ze niet in de weg zitten en begin met het spannen van witte elastiekjes. Span eerst witte dubbele elastiekjes tussen de derde en de vierde middenpin en tussen de vierde en de vijfde middenpin. Neem een dubbelgevouwen wit elastiekje en span dit tussen de derde en vierde pin in de linkerkolom en de derde en vierde pin in de rechterkolom. Span daarna een wit dubbel elastiekje diagonaal tussen de vierde en de vijfde middenpin. Span capbands van dubbele elastiekjes over de derde rij en een capband van een enkel elastiekje in een driehoek over de vierde rij. Wikkel een capband om de vijfde middenpin.

11. Haal heel voorzichtig de rest van de elastiekjes over, tot boven aan de kop van de aap. Haal eerst de buitenste kolommen over en daarna de middenkolom. Maak je creatie vast met een elastiekje of een c-clip. Trek de aap voorzichtig van je loom.

ZONNEBRiL

Bescherm je ogen tegen de zon met deze minizonnebril!
Je kunt hem net als de hoge hoed (blz. 8) bij een van je andere
loomcreaties opzetten. Hij is ook prima te gebruiken als hanger-
tje aan een rits of ketting. Er is bij dit bedeltje gekozen voor veel
zwarte elastiekjes, maar gebruik gerust andere kleuren.

Moeilijkheidsgraad: **makkelijk**

Je hebt nodig:

1 loom • 1 haaknaald • zwarte elastiekjes •
elastiekjes in een kleur die je zelf mag kiezen

Maak een loom met de middelste kolom één pin van
je af en de pijl naar je toe. Gebruik voor deze creatie
alleen elastiekjes die zijn dubbelgevouwen om ze extra
strak te maken.

1. Maak eerst de vorm van de pootjes van de zonnebril op je loom. Span in de rechterkolom een streng
   dubbelgevouwen elastiekjes, begin met een lichte
   kleur en eindig met zwart, zoals op het plaatje. Span
   van de achtste pin (onder aan de rechterkolom) diagonaal een elastiekje naar de middenkolom. Wikkel
   om deze pin ook een capband (stop-elastiekje).

2. Haal vanaf de capband alle elastiekjes over naar de
   pinnen waar de andere einden omheen zitten. Maak
   de bovenkant van je creatie vast. Herhaal deze stappen voor het andere pootje van je zonnebril.

3. Draai je loom een kwartslag, zodat hij horizontaal voor je ligt. Begin nu de vorm van de glazen op je loom te spannen.
   Span met dubbelgevouwen
   zwarte elastiekjes de vorm
   die je op het plaatje ziet. Let
   op: het elastiekje in de middenkolom heb je eerder dan
   de zeshoeken van de zonnebril gespannen. Werk bij het
   spannen van de elastiekjes op
   je loom van links naar rechts.

4. Span van links naar rechts dubbelgevouwen elastiekjes in de midden-kolom van beide vormen van de glazen van de zonnebril.

5. Maak de pootjes van de zonnebril aan weerszijden van de glazen vast. Span vier capbands in driehoeken. Gebruik ook hiervoor elastiekjes die zijn dubbelgevouwen.

6. Haal je creatie nu over vanaf de rechter-kant, waar je een van de pootjes van de bril hebt vastgemaakt. Haal de rechter-kolom (bovenaan als je loom horizontaal ligt) als laatste over, zodat je ontwerp niet losschiet.

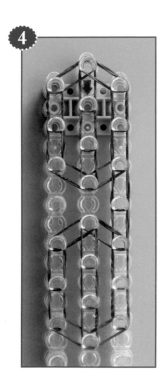

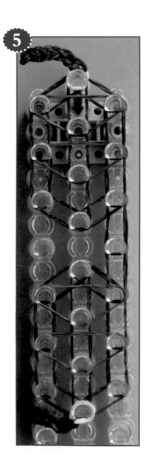

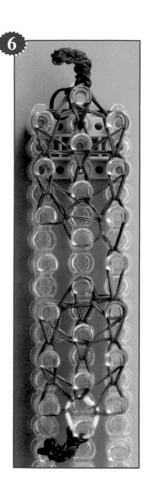

WANTEN

Blijf warm met je zelfgebreide wanten! Gebruik
ze als hangertjes aan een rits, armband of oorbellen –
ze zijn echt superschattig!

Moelijkheidsgraad: **makkelijk**

Je hebt nodig:

1 loom • 1 haaknaald • blauwe elastiekjes • groene elastiekjes

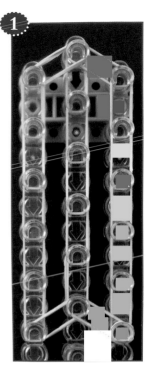

Neem een loom met de middelste kolom één pin van je af en de pijl naar je toe. Gebruik alleen dubbele elastiekjes.

1. Span de vorm van je wanten op je loom, zoals op het plaatje. Let op: bespan eerst de midden-kolom met elastiekjes en daarna de buitenste kolommen. Span elastiekjes met een lichtere kleur tussen pin 2 en 3 in de buitenste kolom-men en tussen pin 3 en 4 in de middenkolom.

2. Span drie capbands (stop-elastiekjes) in een drie-hoek over je loomcreatie en één extra capband aan de onderkant, zoals op het plaatje. Gebruik voor de laatste capband een dubbelgevouwen elastiekje (dus extra strak).

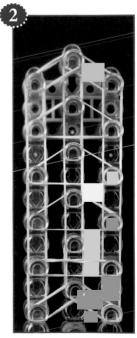

3. Voor de duimen moet je kunnen breien. Wikkel een elastiekje een paar keer om je haaknaald en schuif het over een dubbel elastiekje om een kluwen van elastiekjes te maken. Doe hetzelfde nog een keer, zodat je twee kluwens krijgt, zoals op het plaatje.

4. Gebruik twee haaknaalden om de buitenste elas-tiekjes van de ene kluwen over de buitenste elas-tiekjes van de andere kluwen te schuiven. De aan elkaar geschoven kluwen van elastiekjes wordt de duim van je want.

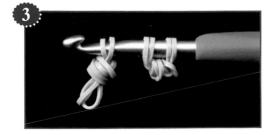

5. Maak de duim rechts aan de onderste in een driehoek gespannen capband vast.

6. Haal de elastiekjes van je loomcreatie
over naar de pinnen waar de andere
einden omheen
zaten. Haal de
elastiekjes in de
middenkolom als
laatste over.

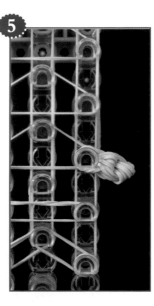

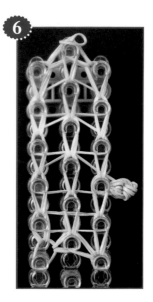

7. Maak je loomcrea-
tie aan de bovenkant
met een elastiek-
je vast en trek het
voorzichtig van de
loom. Herhaal alle
stappen om de twee-
de want te maken.

SLAGZWAARD

Maak een zwaard als dat van de moedigste ridders! Gelukkig hoef je niet voor je leven te vrezen, want het is van rubber. Voor het gevest (handvat) worden elastiekjes als edelstenen gebruikt, maar verwerk ze waar je wilt of neem kralen. Dit bedeltje is makkelijk te maken, maar het breien van de edelstenen is niet altijd even simpel. Zie voor breitips de woordenlijst aan het begin van het boek.

Moeilijkheidsgraad: **gemiddeld**

Je hebt nodig:

1 loom • 2 haaknaalden • grijze elastiekjes • limoengroene elastiekjes • blauwe elastiekjes • oranje elastiekjes

Neem een loom met de middelste kolom één pin van je af en de pijl naar je toe.

1. Gebruik voor de kling (het 'scherpe' deel) van het zwaard dubbele elastiekjes. Span elastiekjes in de middenkolom, tot de tiende pin, en bespan daarna de buitenste kolommen. Laat ruimte vrij tussen de tiende en elfde pin in de middenkolom, waarmee de buitenste kolommen zijn verbonden. Let op: de diagonale elastiekjes rek je verder op dan normaal.

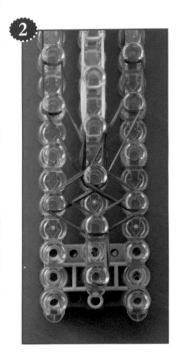

2. Span over de lege ruimte een grijs elastiekje: maak het vast aan de pin onder de pin waaraan de diagonale elastiekjes vastzitten. Span voor het middendeel van het gevest een grijs dubbel elastiekje in een ruitvorm. Maak nog een dubbel grijs elastiekje aan de laatste middenpin vast en omwikkel de pin met een capband (stop-elastiekje).

3. Voor de twee delen die links en rechts uit het gevest steken, moet je weer een beetje breien. Maak eerst een streng van limoengroene elastiekjes die zijn dubbelgevouwen. Wikkel één elastiekje een paar keer om je haaknaald en schuif het over een ander dubbelgevouwen elastiekje. Herhaal deze stap. Wikkel voor het deel met de edelsteen een oranje elastiekje een paar keer om een andere haaknaald en schuif het over een ander elastiekje. Maak deze kluwen van elastiekjes vast aan de

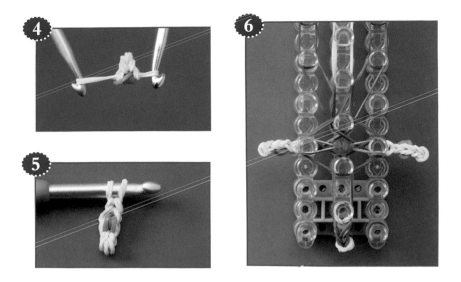

eerste kluwen door het elastiekje met de edelsteen aan de eerste haaknaald te rijgen en een kant van de eerste kluwen over het elastiekje met
de edelsteen te schuiven.

4. Trek het elastiekje (van de eerste kluwen), dat niet met het elastiekje
   met de edelsteen is verbonden, los en maak het aan de andere kant
   van het elastiekje met de edelsteen vast (als je dit doet moet je het
   elastiekje met de edelsteen met een vinger of je haaknaald op zijn
   plaats houden). Als het goed is, zitten de kluwens elastiekjes nu aan
   weerszijden van de oranje edelsteen.

5. Maak de rest van deze zijkant van het gevest van het zwaard af als
   een normale streng door er nog twee sets elastiekjes aan toe te voegen. Herhaal stap 3 tot 5 voor de tweede zijkant van het gevest.

6. Maak het gevest van het zwaard vast aan de ruitvorm die je eerder
   op je loom hebt gespannen. Wikkel voor de edelsteen in het midden
   een blauw elastiekje een paar keer om je haaknaald, schuif het over
   een grijs dubbel elastiekje en maak het aan het zwaard vast. Herhaal
   voor de greep van het zwaard de stappen voor het gevest (stap 3 tot
   5) en gebruik daarvoor elastiekjes met verschillende kleuren.

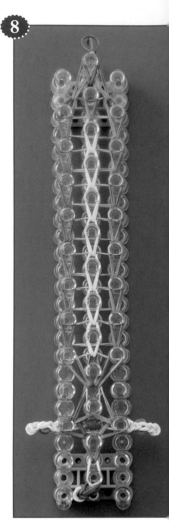

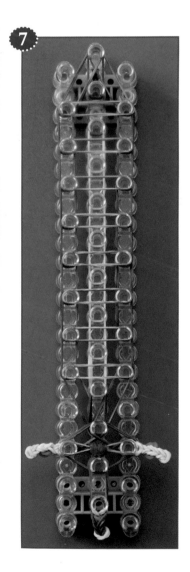

7. Span acht capbands over de kling van het zwaard om hem aan de loom vast te maken. Gebruik hiervoor alleen elastiekjes die zijn dubbelgevouwen.

8. Haal de elastiekjes vanaf het uiteinde van het gevest (van de pin waarom je een capband hebt gewikkeld) over naar de pinnen waar de andere einden omheen zitten. Begin bij het overhalen van de kling in de buitenste kolommen en haal daarna de middenkolom over, tot boven aan het zwaard. Maak de bovenkant van het zwaard vast met een elastiekje of c-clip en trek het van de loom.

HAPPY HiPPO

Het nijlpaard, de koning van de rivier, is hartstikke gaaf!
Deze loomie bestaat uit allemaal verschillende delen en
stappen, dus je moet je hoofd er wel bijhouden. Maar als je
klaar bent, heb je wel een coole uitbreiding van je
loom-dierenrijk!

moeilijkheidsgraad: **moeilijk**

Je hebt nodig:

1 loom • 2 haaknaalden • c-clips (eventueel) • witte elastiekjes •
zwarte elastiekjes (voor de ogen) • paarse elastiekjes

Neem een loom van drie kolommen met
de middelste kolom één pin van je af.

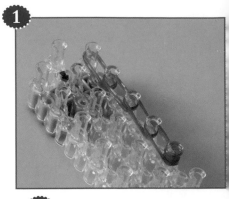

1. Begin met de voorpoten. Span vier
    driedubbele paarse elastiekjes. In plaats van
    een gewone capband (stop-elastiekje) leg
    je drie aparte capbands om de laatste pin
    zodat je een supersterke capband krijgt.

2. Haal de elastiekjes over naar de pinnen waar
    de andere einden omheen zitten. Maak de lus-
    sen van de poot voorlopig vast met een c-clip
    of aan een haaknaald. Gebruik de poot later.

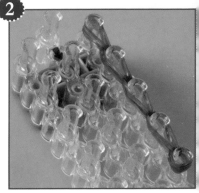

3. Herhaal stap 1–2 voor de andere voorpoot
    en leg hem even weg.

4. Herhaal stap 1, maar span een extra drie-
    dubbel elastiekje tussen de tweede en der-
    de pin van boven in de middenkolom.

5. Haal de elastiekjes over naar de pinnen waar
    de andere einden omheen zitten, behalve
    eentje: het elastiekje om de middelste
    pin in de zijkolom trek je over het losse
    driedubbele elastiekje in de middenkolom,
    daarna haal je dat elastiekje over. Ga terug
    naar de rechterkolom en haal het laatste
    elastiekje over, zoals op het plaatje.

6. Maak de lussen voorlopig vast met een
    c-clip of aan een haaknaald. Let goed op of
    de bovenste twee vastzitten voor je ze van
    de loom trekt. Herhaal stap 4–5 voor de
    andere achterpoot. Leg ook die even weg.

7. Voor de onderkaak span je dubbele paarse elastiekjes zoals op het plaatje. Let op: de eerste schuine elastiekjes (van de beide tweede zijpinnen naar de derde middenpin) zijn enkele elastiek-

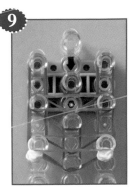

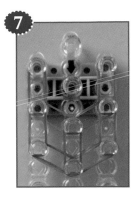

jes. Het dubbele elastiekje van de derde naar de vierde middenpin van boven moet je als laatste spannen.

8. Voor de ondertanden maak je kleine knobbels. Wikkel een dubbel wit elastiekje drie keer om een haaknaald. Maak nog een wit dubbel

elastiekje aan de haaknaald vast en rijg het eerste knobbeltje hieraan. Maak de andere kant van de dubbele elastiekjes weer vast, zodat

je een tand krijgt. Maak er twee, leg ze even weg. Voor kleinere tanden gebruik je enkele elastiekjes.

9. Leg de tanden om de derde zijpinnen van boven in de onderkaak. Zet ze vast met twee dubbelgevouwen capbands, die heel strak op je loom zitten.

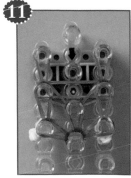

10. Trek de onderste middenelastiekjes en de schuine elastiekjes zoals op het plaatje over de pinnen waar de andere einden omheen zitten.

11. Begin dan weer onderaan. Haal de onderste schuine elastiekjes en de zijkolommen over. De capbands blijven waar ze zijn.

12. Maak de lussen van het vormpje vast met c-clips of aan een haaknaald en leg het even weg.

13. Dan de bovenkaak. Maak met dubbele paarse elastiekjes een patroon
zoals op het plaatje. Begin met de zijkolommen en eindig met de
middenkolom.

14. Herhaal stap 8 voor de boventanden. Maak op dezelfde manier twee
neusgaten van enkele paarse elastiekjes. Rijg die aan een dubbelgevouwen enkel elastiekje (om het strakker te maken).

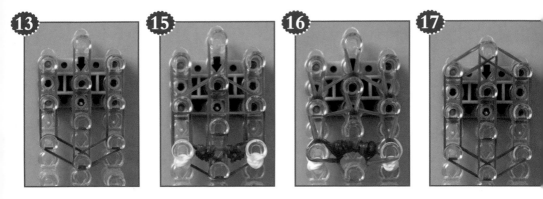

15. Leg de tanden om de derde zijpinnen van boven in de bovenkaak.
Om de neusgaten vast te zetten, span je het elastiekje met de
neusgaten dwars over de loom om de zijpinnen. Span een enkele
capband in een driehoek boven in het vormpje.

16. Haal de elastiekjes over naar de pinnen waar de andere einden omheen
zitten. Begin met de middenkolom, doe dan de zijkolommen. Zet de
lussen vast met c-clips of aan een haaknaald en trek het vormpje van je
loom. Later moet je het aan het lijf vastmaken.

17. Nu de kop. Span met dubbele paarse elastiekjes een patroon zoals
op het plaatje. Begin met de zijkolommen en eindig met de middenkolom.

18. Span voor de kop en de romp dubbele paarse elastiekjes over de zijkolommen. Gebruik in de middenkolom driedubbele paarse elastiekjes, behalve de laatste (die is weer dubbel). De driedubbele elastiekjes maken het nijlpaard groter.

19. Span drie dubbele capbands over de romp – elk in de vorm van een driehoek. Neem de achterpoten die je gemaakt hebt en maak ze onder aan de romp vast. Omdat er boven aan elke poot twee lussen zitten, kun je de poot om twee pinnen vastleggen.

20. Begin het overhalen van de romp alleen bij de zijkolommen en de onderste middenpin. Haal alleen de bovenkant van de romp over, en doe de schuine elastiekjes nog niet.

21. Om de voorpoten vast te zetten begin je de schuine elastiekjes over de pinnen waar de andere einden omheen zitten over te halen, maar voordat je ze over de oorspronkelijke pin trekt, rijg je een voorpoot aan het elastiekje, daarna trek je dat pas over de pin.

22. Voordat je de kop gaat overhalen, moet je oren en ogen maken en capbands spannen. De oren en ogen maak je op dezelfde manier als

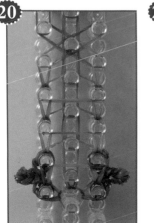

de tanden, alleen in andere kleuren. Neem voor elk oog een enkel zwart en twee witte elastiekjes, voor elk oor een enkel paars elastiekje. Rijg de ogen aan een enkel paars elastiek-je en span dat dwars over het ge-zicht. Span twee enkele capbands in een driehoek over het gezicht, zoals op het plaatje.

23. Haal voorzichtig de onderste drie elastiekjes van de kop over zoals op het plaatje.

24. Maak hier de onderkaak vast. Duw de elastiekjes zo ver mogelijk omlaag, zodat ze niet van je loom schieten.

25. Maak nu de bovenkaak in dit deel vast. Je moet drie lus-sen op je loom zetten, dus het makkelijkst is om ze een rij lager te leggen en de elastiekjes dan over de pinnen waar de andere einden omheen zitten te trekken, waardoor dit deel van de bek vastzit. Kijk goed naar het plaatje hoe de delen waaraan de bek zit zijn overgehaald.

26. Haal de rest van de kop over en maak de bovenkant van de kop vast met een c-clip of een dubbel paars elastiekje.

27. Trek het nijlpaard voorzichtig van je loom. Voor een staart kun je nog een kleine paarse streng achterop vastmaken.

STINKDIER

Je zet deze schattige stinkerd zo in elkaar. De elastiekjes voor zijn poten zijn wel dubbelgevouwen, dus voorzichtig met overhalen!

moeilijkheidsgraad: **gemiddeld**

Je hebt nodig:

1 loom • 1 haaknaald • zwarte elastiekjes • witte elastiekjes • blauwe elastiekjes

Voor de poten:

1. Span een kolom dubbele zwarte elastiekjes van de eerste tot de vijfde pin. Wikkel een enkel zwart elastiekje als capband (stop-elastiekje) drie of vier keer om de vijfde pin.

2. Haal de zwarte elastiekjes over. Trek de streng van de loom en leg hem even weg. Maak in totaal vier poten.

Voor de staart:

1. Span twee zwarte elastiekjes om de eerste en tweede middenpin. Maak met enkele witte elastiekjes een langwerpige zeshoek, die begint bij de tweede en eindigt bij de zevende middenpin van boven. Span zwarte elastiekjes door het midden van de zeshoek: eerst dubbele elastiekjes, dan drie

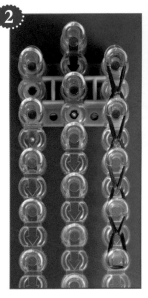

elastiekjes van de derde naar de vierde middenpin, dan weer twee keer een dubbel elastiekje. Span tot slot dubbele witte elastiekjes om de laatste pin. Span dubbele witte elastiekjes om de zevende en achtste middenpin en wikkel een witte capband drie of vier keer om de achtste middenpin.

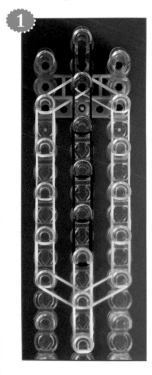

2. Breng 'driehoeken' aan over je vorm door dubbele elastiekjes in een driehoek op de loom te spannen. Maak op deze manier vier driehoeken onder elkaar.

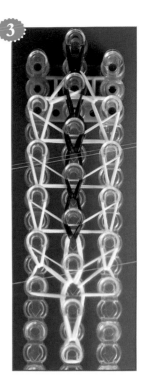

3. Haal de staart over, trek hem van je loom en leg hem even weg. Maak de losse lussen om de laatste pin vast aan je haaknaald of met een schuifknoop.

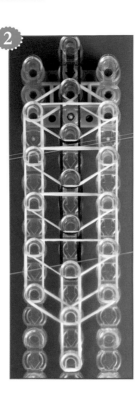

Voor de kop en de romp:

1. Span een kolom dubbele elastiekjes van de eerste tot de vierde middenpin: de eerste twee paar met wit, het laatste met zwart. Span met dubbele zwarte elastiekjes een zeshoek.

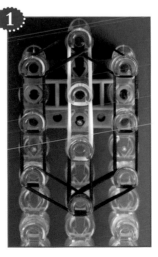

2. Span vanaf de vierde middenpin met dubbele zwarte elastiekjes een tweede, grotere zeshoek. Span elastiekjes over de middenkolom van de grote zeshoek: begin met twee zwarte elastiekjes en ga verder met dubbele witte elastiekjes.

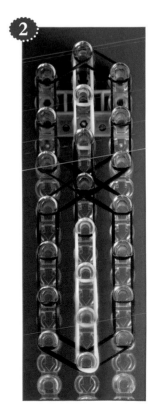

3. Wikkel voor de ogen een blauw elastiekje vier keer om je haaknaald, wikkel een wit elastiekje daar ook vier keer omheen, op zo'n manier dat er aan weerszijden van het blauwe elastiekje twee witte lussen zitten. Doe hetzelfde voor het andere oog. Rijg beide ogen aan een zwart elastiekje en span dat dwars over de tweede rij.

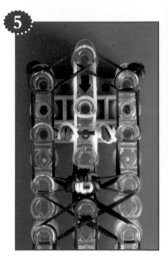

4. Wikkel voor de snoet een zwart elastiekje vier keer om je haaknaald en rijg dat aan dubbele zwarte elastiekjes. Wikkel een wit elastiekje drie keer om de haaknaald en trek het einde van de dubbele zwarte elastiekjes over je haaknaald. Rijg de zwarte en witte elastiekjes aan een enkel zwart elastiekje. Leg de snuit even weg of span hem alvast dwars over de derde rij.

5. Wikkel voor de oren een enkel zwart elastiekje vier keer om je haaknaald en rijg dat aan een enkel, dubbelgevouwen zwart elastiekje. Doe hetzelfde voor het andere oor. Leg de oren om de eerste zijpinnen van je loom.

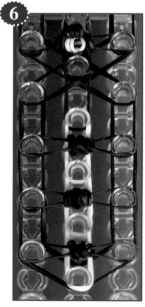

6. Wikkel voor de zwarte strepen op de rug van het stinkdier twee zwarte elastiekjes drie keer om je haaknaald en rijg die aan een enkel zwart elastiekje. Span de streep dwars over de vijfde rij. Doe hetzelfde nog tweemaal voor in totaal drie strepen op de rug.

7. Maak de staart vast aan de laatste middenpin en de achterpoten aan de laatste zijpinnen.

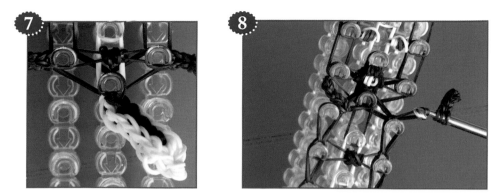

8. Begin met overhalen bij de eerste middenpin en ga door met de zijkolommen, tot je bij de 'schouder'pinnen bent. Om de voorpoten vast te maken steek je de haaknaald erdoor. Als je dan de zijpin naar de 'nek'pin overhaalt, rijg je de poot aan het elastiekje voordat je het over de nekpin trekt.

9. Haal nu de middenpinnen van de rug over en ga door met overhalen tot aan het einde van je loom. Zet de losse lussen vast met een enkel elastiekje dat je in een schuifknoop hebt getrokken.

LIBEL

Vlieg weg met dit leuke beestje! Met glow-in-the-dark-elastiekjes voor de vleugels krijg je een supercoole libel die 's avonds oplicht!

moeilijkheidsgraad: **gemiddeld**

Je hebt nodig:

1 loom • 1 haaknaald • lichtgroene + blauwe + groenblauwe + limoengroene + zwarte + roze elastiekjes

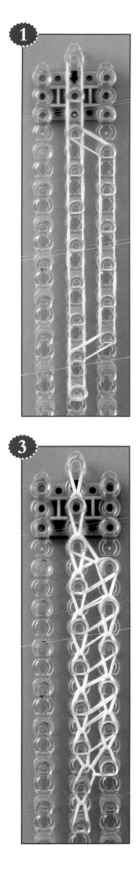

Libel • 105

Neem een loom van drie kolommen met de middelste kolom één pin van je af.

1. Span voor de vleugels een patroon zoals op het plaatje. Begin met de middenkolom en werk dan opzij naar de rechterkolom. Neem hiervoor lichtgroene, enkele, dubbelgevouwen elastiekjes. Wikkel een capband (stop-elastiekje) onder aan de vleugel.

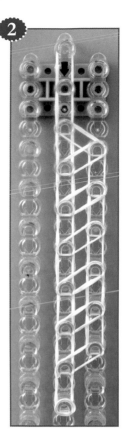

2. Zorg met vijf capbands dat de vleugel niet losschiet. Neem hiervoor enkele, dubbelgevouwen elastiekjes.

3. Haal vanaf de onderste capband de elastiekjes over naar de pinnen waar de andere einden omheen zitten tot je boven aan de vleugel bent.

4. Herhaal stap 1–3 voor in totaal vier vleugels.

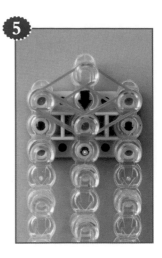

5. Maak het kopje van de libel met blauwe elastiekjes. Neem hiervoor dubbele elastiekjes, oftewel twee elastiekjes tegelijk.

6. Leg een dubbel groenblauw elastiekje om de middenpinnen van de kop en span voor het borststuk met dubbele groenblauwe elastiekjes een zeshoek.

7. Span twee dubbele elastiekjes over het midden van de zeshoek.

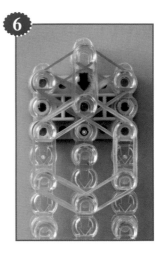

8. Maak onder aan het borststuk het lange achterlijf. Span met dubbele elastiekjes een streng van zeven middenpinnen. Op het plaatje is door elkaar roze, groenblauw en blauw gebruikt, maar je kunt ook andere kleuren kiezen. Wikkel een capband om de laatste pin.

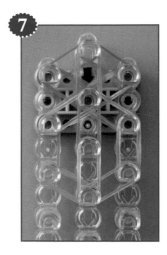

9. Wikkel voor de ogen een zwart, een blauw en een limoengroen elastiekje een paar keer om je haaknaald. Doe hetzelfde voor het andere oog. Rijg beide ogen aan een enkel blauw elastiekje.

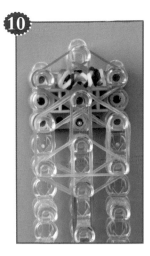

10. Maak de ogen vast door dit enkele elastiekje dwars over de bovenste zijpinnen van de kop te spannen. Zorg met een enkele groenblauwe capband dat het borststuk niet losschiet.

11. Leg de vier vleugels om de vier zijpinnen van het borststuk, zoals op het plaatje.

12. Haal de elastiekjes over vanaf de onderkant van het achterlijf tot de bovenkant van de kop.
Voorzichtig dat je geen elastiekjes overslaat of de verkeerde volgorde gebruikt! Maak bovenaan twee elastiekjes vast zodat de libel niet losschiet. Dat zijn dan gelijk de voelsprieten!

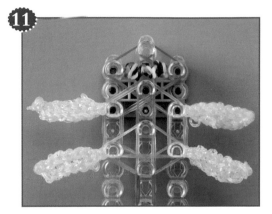

Leeuw

Laat de leeuw maar brullen! De manen van de koning van de dieren maak je van heel veel elastiekjes, dus kijk uit dat ze niet losschieten bij het overhalen. Wij hebben voor de kleuren oranje en geel gekozen, maar je kan ook andere tinten proberen, of er een oranjeleeuw van maken!

moeilijkheidsgraad: **gemiddeld**

Je hebt nodig:

1 loom • 2 haaknaalden • gele elastiekjes • oranje elastiekjes • zwarte elastiekjes • witte elastiekjes

Neem een loom van drie
kolommen met de middelste
kolom één pin van je af. Alle
elastiekjes van de leeuw zijn
dubbele elastiekjes.

1. Span voor de voorpoten
   een streng van vier dubbele
   gele elastiekjes. Wikkel een
   capband (stop-elastiekje)
   om de laatste pin.

2. Haal de elastiekjes vanaf
   de capband over
   naar de pinnen
   waar de andere
   einden omheen
   zitten. Maak de
   bovenkant van de
   poot vast met een
   c-clip of aan een
   haaknaald en leg
   de poot even weg.
   Herhaal stap 1–2
   voor de andere
   poot.

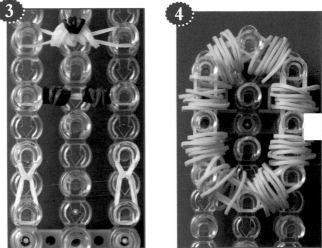

3. Maak nu de neus, ogen en oren. Wikkel voor de neus een dubbel geel
   elastiekje een paar keer om je haaknaald. Rijg het aan een enkel
   geel elastiekje zodat je een knobbeltje krijgt. Wikkel een enkel zwart
   elastiekje een paar keer om je haaknaald. Rijg het aan een dubbel geel
   elastiekje en rijg dat boven op het gele knobbeltje – je moet hiervoor
   met twee haaknaalden werken alsof je aan het breien bent. Wikkel voor
   de ogen een enkel blauw elastiekje een paar keer om je haaknaald,

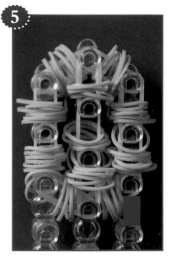

wikkel dan de ene helft van een zwart elastiekje aan de ene kant van het blauw en de andere
helft aan de andere kant. Doe hetzelfde voor
het andere oog en rijg beide ogen aan een
enkel geel elastiekje. Span voor de oren twee
keer een enkel geel elastiekje op je loom en
wikkel er een capband om. Haal het over naar
de pin waar het andere eind omheen zit. Leg
alles even weg.

4. Span voor de kop en de manen een zeshoek
    van dubbele gele elastiekjes zoals op het
    plaatje. Rijg vijf of zes oranje elastiekjes aan
    elk geel elastiekje voor je het op de loom legt.

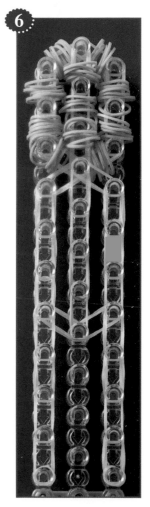

5. Span tussen de manen nog meer dubbele gele
    elastiekjes over de middenkolom. Rijg ook hier
    vijf of zes oranje elastiekjes aan voor je ze op je
    loom legt.

6. Span voor de buik van de leeuw onder de manen
    een grote zeshoek op je loom en span voor de
    poten onder de buik een reeks van vier pinnen
    over de zijkolommen. Wikkel twee capbands om
    het einde van de poten. Span eerst de zeshoek
    voor de buik en dan pas de middenkolom. Als je
    dat wilt, kun je in het midden van de buik oranje
    elastiekjes nemen. Wikkel aan de onderkant van
    de buik een capband om de onderste middenpin.

7. Maak de oren vast aan de twee eerste zijpinnen
    van boven, span het elastiekje van de ogen tussen
    de tweede zijpinnen van boven en dat van de
    neus tussen de derde zijpinnen van boven. Leg

twee driehoekige capbands over het midden
van de buik van de leeuw.

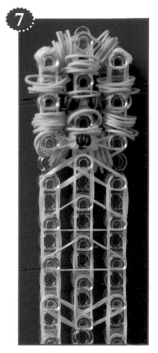

8. Span aan beide kanten vier of vijf oranje elas-
    tiekjes om de tweede en de derde zijpin van
    boven en houd die op hun plaats met drie-
    hoekige capbands, zoals op het plaatje.

9. Haal de elastiekjes vanaf de capbands aan de
    onderkant van de poten over naar de pinnen
    waar de andere einden omheen zitten. Doe
    eerst de zijkolommen tot aan de schouders
    (voor de eerste manen). Leg de voorpoten om
    de schouderpinnen en trek de schuine elastiekjes
    dan over de middenpin. Haal de middenkolom
    van de buik over tot aan
    de pin voor de manen om
    alles vast te zetten.

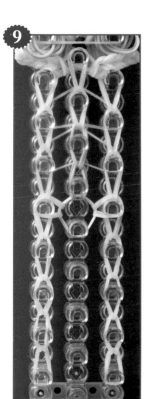

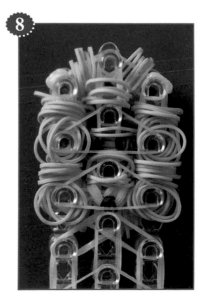

10. Haal heel voorzichtig de kop en manen
    over. Er zijn veel elastiekjes, dus misschien
    heb je nog een haaknaald nodig om
    alles wat overgehaald moet worden op
    te vissen. Doe eerst de zijkanten en dan
    de middenkolom. Haal nog meer oranje
    elastiekjes door de drie bovenste lussen
    voor nog meer manen.

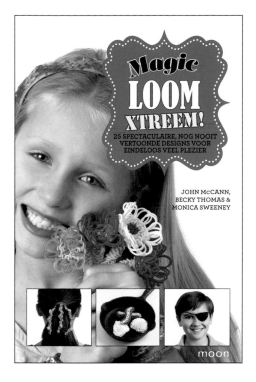

Magic Loom Xtreem!

25 spectaculaire, nog nooit vertoonde designs voor eindeloos veel plezier

door John McCann, Becky Thomas & Monica Sweeney

Til jouw loomkunsten naar het hoogste niveau met deze 25 geheel nieuwe en 'xtreme' ontwerpen! Maak op iedereen indruk met een piratenooglapje, een vlechtdiadeem en een hip haarelastiekje! De stap-voor-stapinstructies en duidelijke kleurenfoto's in dit boekje laten je zien hoe je de coolste loomcreaties maakt, waaronder een:

- Glow-in-the-dark-skelethand
- Zwarte vleermuis
- IJshockeystick
- Modieus sieradenrekje
- Lusjesarmband
- Pomponarmband
- Boeketje bloemen
- Ritsversiering
- En nog veel meer!